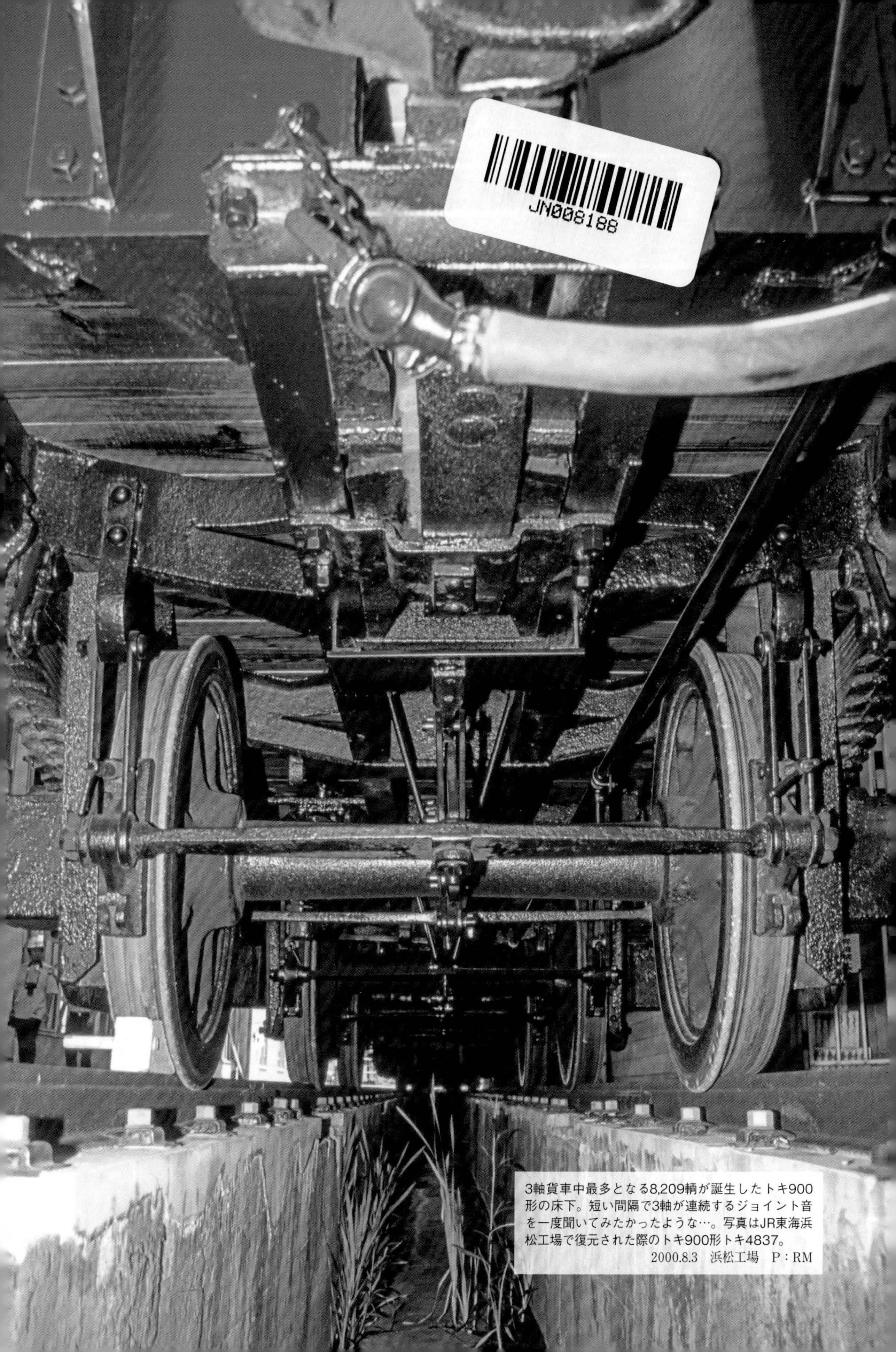

3軸貨車中最多となる8,209輌が誕生したトキ900形の床下。短い間隔で3軸が連続するジョイント音を一度聞いてみたかったような…。写真はJR東海浜松工場で復元された際のトキ900形トキ4837。
2000.8.3　浜松工場　P：RM

タサ1形タサ15　日本で初めて製作された3軸タンク車フア27000[M44]形の改称後の形式となるのがタサ1形(1～100)。20トン積みで、全体にリベットが無骨な印象を醸し出している。円柱状のタンク体が台枠に沈み込むように設置されているのも特徴。　1960.11.27　日立　P：久保　敏

タサ1形タサ41　上掲タサ15と同一ロットで、逆サイドを示している。所有者は、タサ15が日本石油輸送であったのに対し、こちらは日本石油で、カルテックスマークが美しく標記されている。
1958.2.16　新興　P：久保　敏

戦後の昭和31年撮影の写真だが、戦時設計車輌の象徴的な存在である凸型のEF13が3軸のトキ900形多数からなる貨物列車を牽引している。EF13 26はこの写真の半年ほど後に箱型車体に載せ替えられた。また、トキ900形は側面アオリ戸の中央部が欠損した状態となり、既にトキ級としての積載は不能となっている。
1956.1.13　大崎—新鶴見(操)
P：久保　敏

トキ900形トキ4837　浜松工場で下回りのみが場内の入換用控車として残されていたものに、新造の上回りを載せて見事に復元されたもの。なお、現車は今は美濃太田車両区にビニールシートを被せた状態で保管されている。

昭和19年・新潟鐵工所製という銘板が残されている。

注目すべきは解放テコの形状で、通常は曲げ加工されて妻柱を避けるところ、それをせずに妻柱側に穴を開けて通している。

中間軸の長1段リンク式ばね吊り装置。車輪はスポーク式。
2000.8.3　浜松工場　P：RM(4点共)

ワサ1形ワサ2　2輌が製造された3軸パレット式有蓋車ワサ1形のうち、ワサ1は試験車に改造され、残されたワサ2が後年まで営業運転に供されていた。写真は富士～東広島間の紙輸送列車で、他のワム80000形と一緒に運用されている貴重なシーン。　1980.5　稲沢　P：酒井和弘

はじめに

「3軸貨車の誕生と終焉」にようこそ！

わが国の3軸貨車は、全部で何輛あったかご存知だろうか。驚くなかれ12,000輛にも達し、わが国貨車総数の約5％を占めていたのである。このようにわが国の鉄道貨物輸送に貢献してきた3軸貨車だが、いままで顧みられることはなかった。

この本では、これまでにわが国に在籍した3軸貨車の全貌を紹介することで、報われることなく消えていった彼女らへのせめてもの餞としたい。

昭和5年新潟製のタラ1形5。連合軍専用タンク車であった時代の撮影で、タンク体に描かれた英文標記が目を引く。専用種別は“ジドーシャガソリン”。
1952.11　立川　P：園田正雄

国鉄3軸貨車の系譜

形式別解説をスタートする前に、わが国3軸貨車のうち大半を占める国鉄所有車について、発達の系譜を振り返ってみることにしよう。

神話期の3軸貨車

わが国で初めての3軸貨車は明治20年新橋工場で製作された材木車であった。車体容積よりも荷重の増加を狙った設計で、同様の貨車が日本鉄道・山陽鉄道等で製作された。また関西鉄道は3軸の無蓋車を製作した。その後、2軸車でも15トン積が可能となると利用価値を失い、昭和初期に姿を消した。

明治28年頃、特殊な3軸車である「歯車車」が誕生した。横川～軽井沢間のアプト式区間に使用するブレーキ車で、ラックレールに噛み合う歯車を配置するため3軸としたものであったが、昭和6年、空気ブレーキの普及により廃止された。

古典期の3軸貨車

大正3年、初の3軸タンク車であるフア27000[M44]形が登場した。ドイツ・オランダに範を取ったヨーロッパ大陸風の設計で、荷重20トン・車体長9m級は、当時としては超大型の貨車であった。車体容積を増加するため3軸構造を初めて活用した貨車で、中央軸に横動を許容するため、ばね吊り等も独特の構造となった。大正13年にはチ30500[M44]形材木車が製作された。車体長8m級の北海道向長物車で、昭和50年まで木材輸送に愛用された。

戦前期の3軸貨車

昭和初期は3軸タンク車の絶頂期で、積荷も石油から揮発油・ベンゾール・濃硫酸・液化アンモニアなどに拡大した。台枠は自動連結器に適した平型となり、昭和10年頃にはタンク体も全溶接構造に改良された。

ところが大型機関車の登場に伴ない貨物列車の速度向上が計画されるようになると、走行性能の劣った3軸貨車は、その処遇が問題となった。

そして結局、昭和11年度以降は3軸貨車の製作が禁止されることになった。なお一部の私鉄や樺太庁ではその後も3軸車を製作し、中でも樺太は質・量共に3軸車の宝庫となった。

戦中期の3軸貨車

昭和18年、「太平洋戦争決戦貨車」としてトキ900形30トン積無蓋車が誕生した。

戦争による海上輸送の陸運転換では、石炭輸送の強化が急務となり、様々な設計を検討した結果、自ら禁を破って費用対効果に優れた3軸車を再び製作することになった。

こうして製作されたトキ900形は、従来のトラと同じ長さながら側および妻の高さを高め、走り装置を3軸にして荷重を増大した。8,000輛余りが製作されたが、敗戦による製作中止で多数の欠番を生じた。

また私鉄の戦時買収・樺太庁の移管により、多数の3軸貨車が国鉄に編入された。

戦後期の3軸貨車

戦後しばらくの間は、トキ900形の改造転用工事が行なわれた。最初の数年間は、台枠・走り装置をそのまま流用して長物車に改造された。その後、車体を総解体して得られた鋼材とブレーキ装置・連結器等付属品だけを転用する方法に変更され、ワム23000形有蓋車からソ50形操重車まで、ありとあらゆる形式に姿を変えた。こうして戦争の申し子だったトキ900形も、昭和34年度を最後に消滅した。

昭和37年、ワサ1形が製作された。23トン積の有蓋車で、75km/h走行可能な高性能3軸車であった。原型となったワム80000形は、パレット使用の場合でも15トン分の積荷を積めるよう設計されたため、車体容積は20トン分であった。そこでパレット積では17トン積、一般貨物の場合は23トン積の共用車とし、3軸車として軸重制限を回避することが考案され、試作されたのが本形式であったが、結局量産には至らなかった。

昭和42年には唯一の連節式3軸貨車であるク9100形が試作された。ク5000形の欠点だった排気量1,500ccクラスの自動車を8台しか積載出来ない点を改善するため、連節構造の3軸車として車体長を伸ばしたものであったが、結局未消化に終わった

昭和43年の貨物列車スピードアップ「ヨンサントウ」では、走行性能の劣る3軸車は不適格とされ、全滅の危機に晒された。結局、3軸長物車と私有タンク車の一部が、北海道内と本土内特定線区の限定運用となることで生き延びたが、これらの貨車も昭和50年までに淘汰された。

昭和51年には休車中のク9100形が廃車となった。

国鉄最後の年となった昭和62年、最後まで残ったワサ1形が廃車となったことで、国鉄の3軸貨車は、静かにその姿を消したのである。

国鉄3軸貨車の変遷

この図は、国鉄3軸貨車に関連した事項を、貨車一般に関する事項と対比しながら、経時的にまとめたものである。

また「貨車ひとくちメモ」として、欄外に3軸貨車に関連する事項をまとめた。本文を読み解くための参考として欲しい。

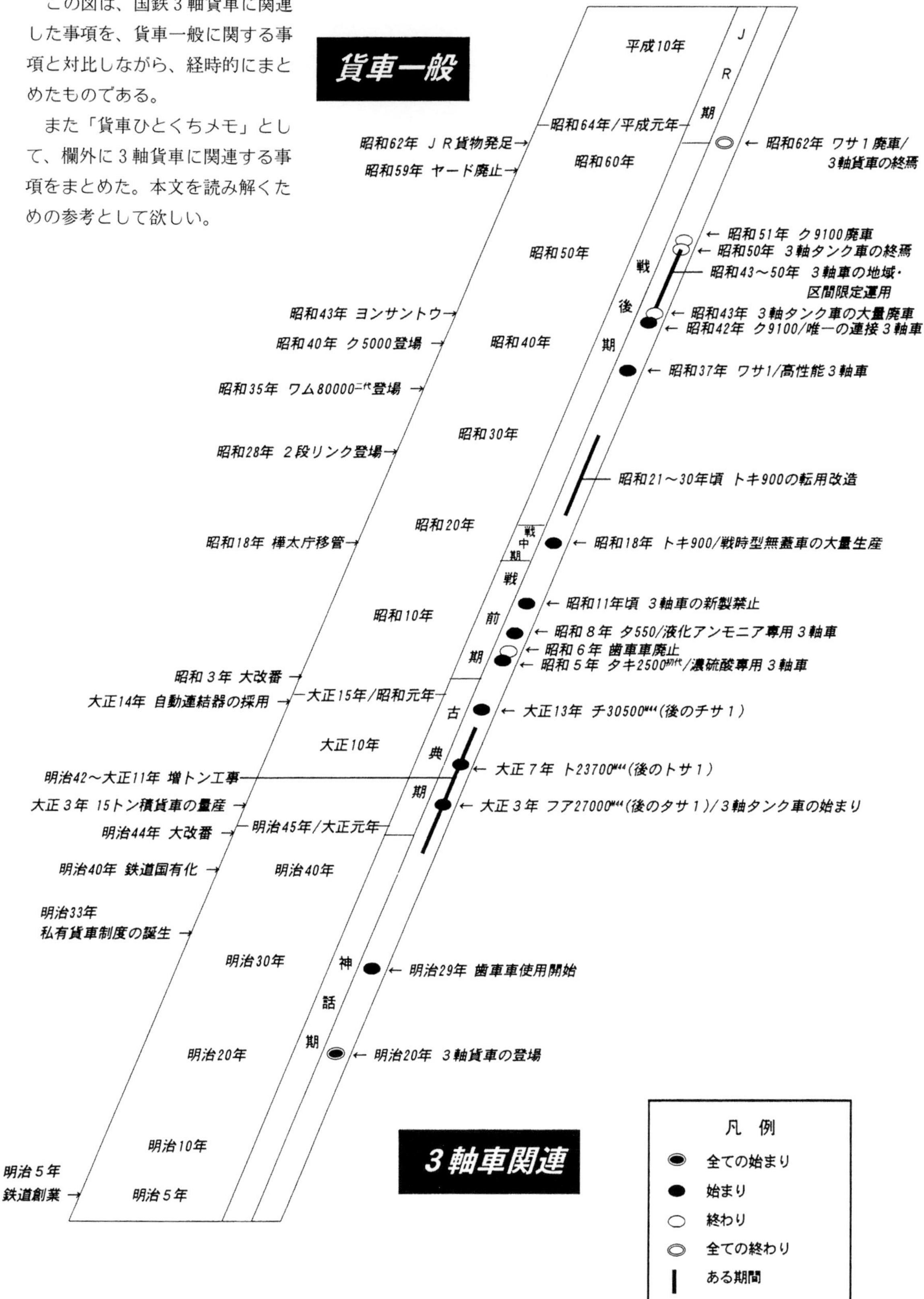

鉄道作業局CE形⇨局チ４形⇨チ502M44形

わが国最古の３軸貨車と考えられる形式。鉄道作業局が明治20年新橋工場で４輌製作したもので、10トン積の３軸材木車であった。用途は重量品輸送用と思われる。

外観・構造は当時の２軸材木車に類似し、車体中央には回転枕木があった。車体長は17ft 6 inであった。

台枠は木製で、軸距は図１では４ft 9 in、図２では４ft 6 in×２であった。

局CE形式J３～６から局チ４形27～30を経て、明治44年の大改番ではチ502M44形502～505となったが、大正13年１月に形式消滅した。

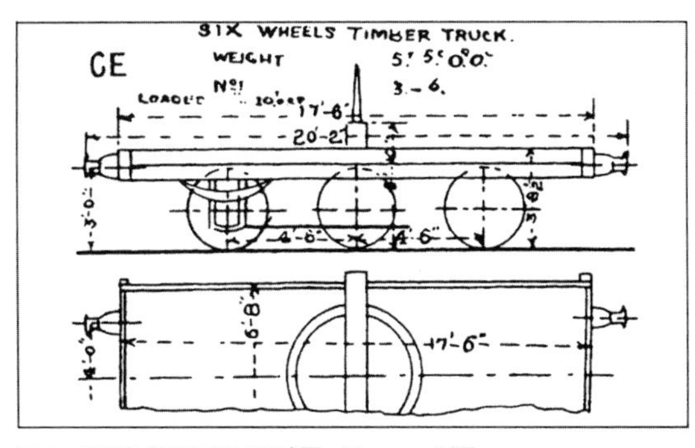

図１　鉄道作業局CE形の形式図　Types of Wagon

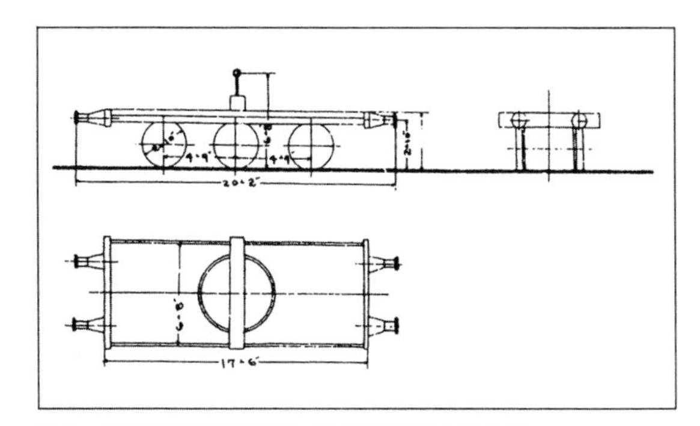

図２　チ502M44形の形式図　貨車形式図(大正３年)

写真１
鉄道作業局J６／ぬ６
P：日本鉄道紀要

わが国最古の３軸貨車を記録した貴重な写真。番号は「J６」と「ぬ６」の２つが併記されている。

車体は木製で、床板の構造から、荷重は回転枕木が負担するよう設計されていたことが判る。台枠も木製で、当時としては珍しくブレーキは両側の２軸に作用するようになっていた。側ブレーキテコの重錘は、留置用ではなく、下り勾配でブレーキをかけたまま運転するためのものである。

鉄道作業局DI形

「トレビシック図面」で初めて発見された３軸材木車で、形式はDIであった。

外観・構造はCE形に類似し、車体上には回転枕木があるが、車体寸法はバッファー間距離18ft 2 in・車体長15ft 6 in・車体幅７ftとCE形より車体長は約２ft短い。台枠構造は不明だが、軸距４ftはこの種の車輌では最短であった。

その後の図面では、これに該当する車輌は発見されておらず、謎に包まれた貨車の一つである。

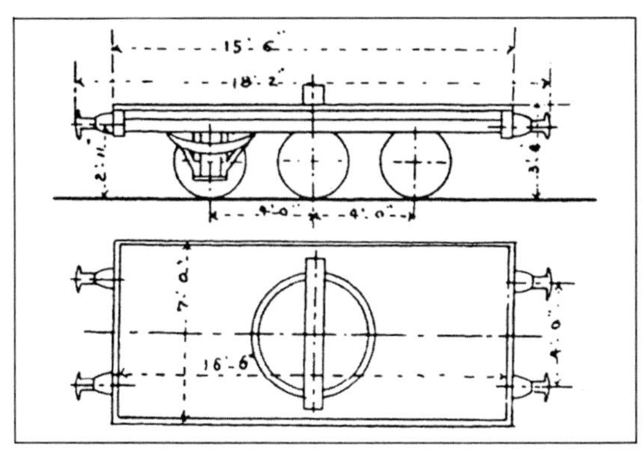

図３　鉄道作業局DI形の形式図　Types of Wagon

日本鉄道戌1、2⇨チ500M44形

日本鉄道戌1, 2は明治22年6月新橋工場製の8トン積3軸材木車であった。

「貨車略図」の図面では、外観・構造はチ502M44形に類似するが、車体長は15ft 1½in・車体幅は7ft、そして軸距は4ft 6inと一回り小型であった。日本鉄道時代に真空ブレーキ用の列車管が設置されている。明治44年の大改番ではチ502M44形より小型であったため、材木車最初の形式とされチ500M44形500, 501となった。貨車が大型化するにつれ、8トン積では使い物にならず、大正4年6月に廃車となった。

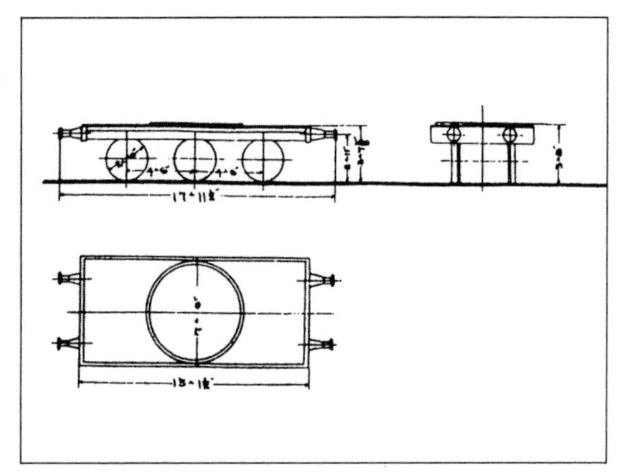

図4　チ500M44形の形式図　貨車形式図(大正3年)

日本鉄道土54、70、73、98⇨ツ1700M44形⇨チ495M44形

日本鉄道土54, 70, 73, 98は新橋工場製の5トン積土運車で、明治44年の大改番でツ1700M44形1700～1703となった。荷重5トンはわが国3軸貨車の最小値である。日鉄時代の番号が飛んでいるのは、2軸車を3軸車に改造したためと思われる。

「貨車略図」の図面によれば、側板・妻板はなく材木車に似た形態の3軸車で、車体長は15ft 2in・車体幅は7ft・軸距は4ft 6inとチ500M44形とほぼ同一寸法であった。その後、明治45年7月四日市工場で材木車に改造され、チ495M44形495～498[図6]となった。この改造では回転枕木が取り付けられた。

大正4年6月、チ500M44形と一緒に廃車された。

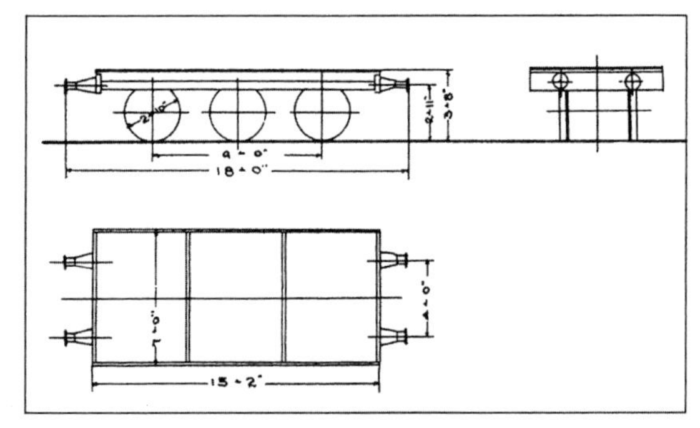

図5　ツ1700M44形の形式図　貨車略図(明治44年)

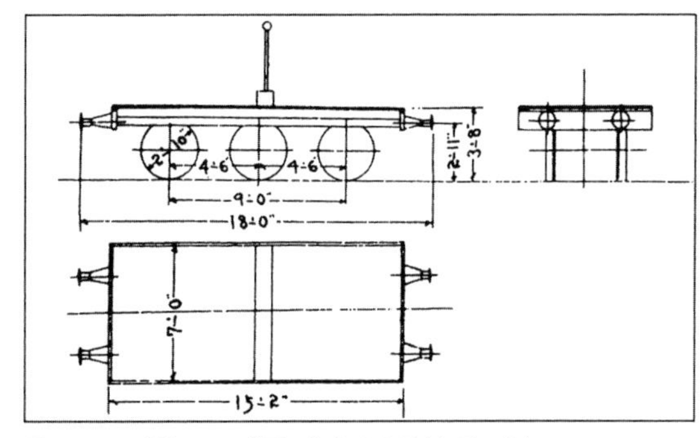

図6　チ495M44形の形式図　貨車形式図(大正3年)

関西鉄道442～451⇨ト15606M44形

明治33年10月に関西鉄道四日市工場で442～451として製作された10トン積3軸無蓋車。車体寸法は当時の2軸無蓋車とほぼ同一だが、荷重だけが3トン増となっており、石材等の荷重の集中する積荷を輸送するため製作されたものと考えられる。明治44年の大改番ではト15606M44形15606～15615となったが、大正3年に15トン積2軸無蓋車であるト21600M44形[図13]が登場するに及んで存在価値を失い、大正6年に5輌が2軸車に改造された。3軸車のまま残った車輌は大正期に廃車となり、2軸車となった5輌は昭和3年の大改番でト1形2276～2280に改番された。

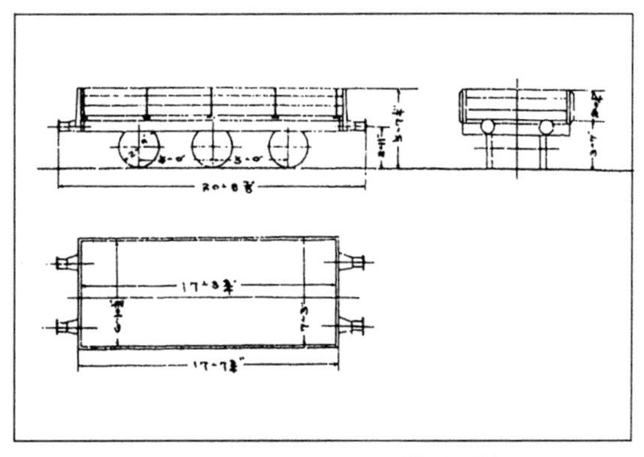

図7　ト15606M44形の形式図　貨車形式図(大正3年)

山陽鉄道792、808、845、860、1094、1197⇨ケタ20^{M44}形⇨チム１形

山陽鉄道が自社の鉄橋建設資材の運搬に用いるため開発した貨車。後年の分類では平床式の大物車に属する。文献には「鷹取工場で製造された全長28メートルの鋲けたを輸送する際には４輌を使用した」との記述が見られる。

種車は山陽鉄道792，808，845，860，1094，1197の６輌で、792，808，845，860は明治21年兵庫工場製の７トン積２軸材木車または土運車(明治44年の大改番でチ584^{M44}形材木車・ツ2144^{M44}形土運車となったもの)、残る1094は明治30年三田製作所、1197は同じく鉄道車輌会社でそれぞれ製作された７トン積２軸無蓋車(後のト9808^{M44}形)であった。改造時期は不詳だが、種車に明治30年製の車輌を使用している事から、同年以降と推定される。

15トン積の３軸車で、外観・構造はチ500・502^{M44}形などの３軸材木車に酷似していた。車体中央には回転枕木を備えているが、その構造は本形式独特のもので、車体長は18ft 2 in・車体幅は７ft 4 inであった。

台枠構造は不詳だが、改造時に鋼製化されたものと考えられる。軸距は４ft 6 in×２であった。

明治44年の大改番ではこの６輌だけのために鉄桁運搬車(記号ケタ)なる車種が新設され、同車種で唯一の形式としてケタ20^{M44}形となった。国有後は西部管理局・兵庫駅の配置となり、晩年は小野浜(後の神戸港)駅に常備されていた。昭和３年の大改番では鉄桁運搬車が長物車に併合されたためチム１形１～６となったが、シキ40形大物車・チキ1000形長物車などの増備により、昭和７年度を最後に姿を消した。

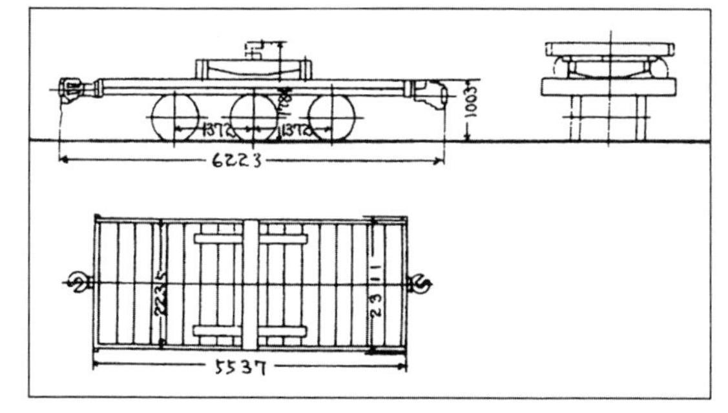

図８　チム１形の形式図　貨車形式図(昭和４年)

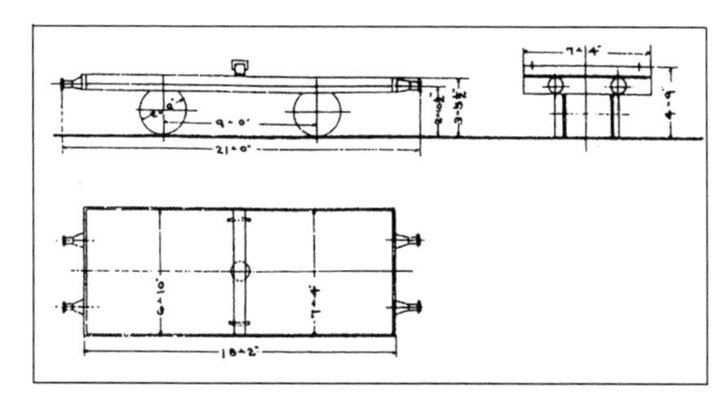

図９　チ584^{M44}形の形式図　貨車形式図(大正３年)

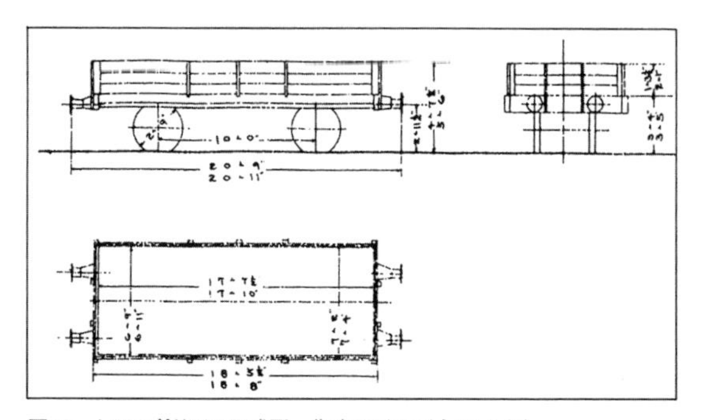

図10　ト9808^{M44}形の形式図　貨車形式図(大正３年)

写真２
ケタ20^{M44}形21　他２輌
(⇨チム１形２)
Ｐ：荷崩写真貼

ケタ時代の写真で、天下の奇書である『荷崩写真貼』に掲載されていたもの。３輌一組で鋼矢板の輸送に使用された際のもので、たまたま荷崩事故を起こしたため、平成の今、我々がその姿を見ることが出来るとは何と皮肉なことか。

特異な構造の回転枕木部分を良く見て頂きたい。

チ30500^{M44}形⇨チサ100形

日露戦争で海外メーカーに緊急注文した貨車の中に、英国ミドルタウン・米国アメリカンカーアンドファンドリー製の15トン積ボギー無蓋車があった。その後2軸車も15トン積が常識になると、これらボギー無蓋車は北海道向け長物車としてホチ234^{M44}形などの形式に改造された。当時の新鋭長物車オチ21350^{M44}形と比較すれば約3メートル短い反面、炭砿の坑木に用いる2間材の積載に適していた。大正13年に、さらなる北海道向長物車の新製が計画された際、当時タンク車に多用されていた3軸車が寸法面に適当だったため、本形式が誕生した。

大正13～昭和2年に30500～30999の500輌が製作された。製造所別内訳は、日車支店が30500～30549，30600～30649の100輌、川崎が30550～30599，30650～30699，30890～30899，30980～30999の130輌、日車本店は30700～30889，30900～30979の270輌であった。

車体構造はオチ21350^{M44}形を一回り小型化したもので、荷重は20トン・車体寸法は長さ8,000㎜・幅2,300㎜であった。床板は木製で荷摺木が8本、柵柱は12本あった。台枠構造は自連採用以前の標準タイプで、側梁と中梁には同一寸法の229×89㎜チャンネルを使用していた。当時から北海道では自連を採用していたため、バッファーを装備したことはなかった。昭和3年の大改番でチサ100形100～599となり、一貫して北海道内で使用されていた。ヨンサントウでは北海道内限定運用車となり、昭和45年度末にはまだ487輌が残っていたが、その後急速に廃車が進み、昭和50年度に形式消滅した。

写真3
チ30500^{M44}形30586
(⇨チサ100形186)
P：吉岡心平所蔵

大正13年に川崎造船所で製作された第1ロットの写真。台枠左端に同社の四角形の銘板が見られる。

落成時は軸箱守はWガード式で、柵柱は木製であったが、これらは後年、新式のものに改良されている。

写真4
チサ100形100
1963.9
P：千代村資夫

記念すべきトップナンバーの写真。昭和38年9月の撮影である。すでに車体更新を受けた後の姿で、軸箱守はプレス物に交換され、運転関係・検査関係の標記板も新設されている。

貨車ひとくちメモ　貨車の番号体系について

鉄道創業期の貨車の形式・番号については、良く判っていないのが現状である。本稿では便宜上、図面集のページに附されている表示（例：CEとかチ４）を形式として扱った。

鉄道国有化までの番号体系は、会社毎に異なっていた。鉄道作業局や日本鉄道は車種毎に記号を定め、番号も各々１から附番していたが、山陽鉄道や関西鉄道は車種記号を定めず、貨車全体を一連番号で管理していた。

明治44年の大改番は、明治40年の鉄道国有化で私鉄から引き継いだ貨車を整理するために実施された。この改番では貨車を「有蓋ノ貨車」・「無蓋ノ貨車」・「石炭車」の三種に大別し、各々１から連続番号で附番した。このように特異な体系を採用したのは、山陽鉄道出身者の圧力によるものと言われているが、テワ1257形の1499以降は26000になるなど、形式の見通しが悪いこと、飛び番号が多発するなどの欠陥があり、結果的には失敗であった。なお本稿では明治44年改番の形式はア2700M44形のように記述した。

昭和３年の大改番は、この混乱を収拾するため実施されたもので、車種毎に記号を定め、番号は各々１から附番する方式に戻された。この番号体系が現在まで使用されている。

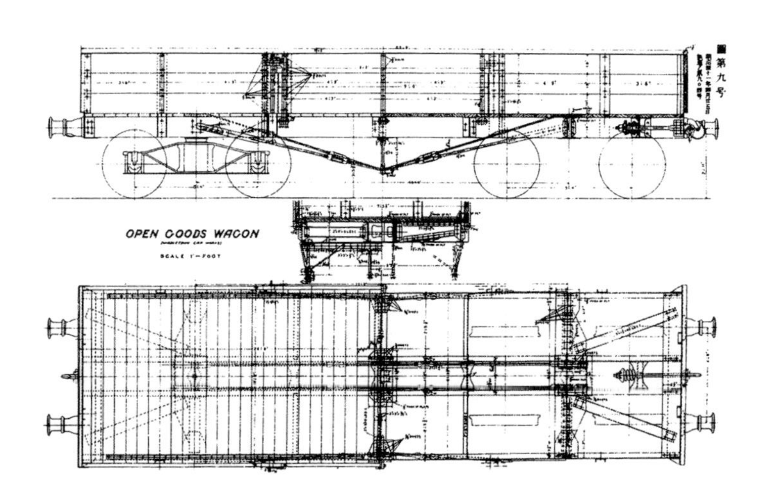

図11
米国ミドルタウン製
無蓋車の組立図
（局ムボ501形⇨フホト5620M44形）

吉岡心平所蔵

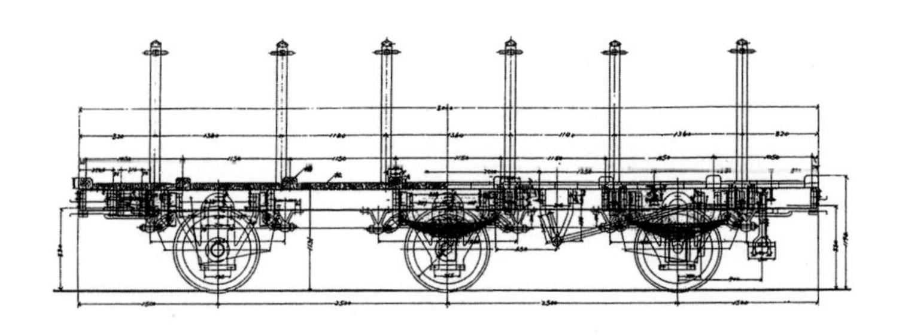

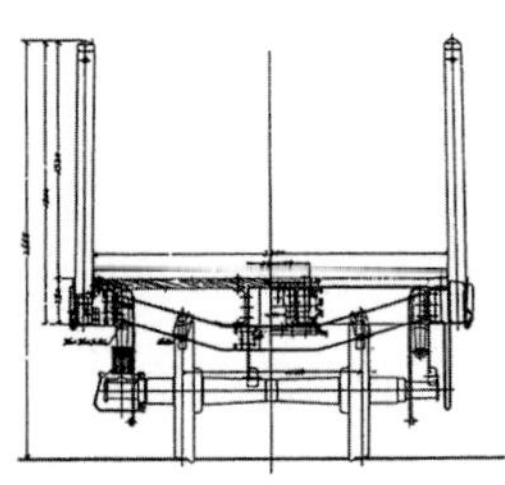

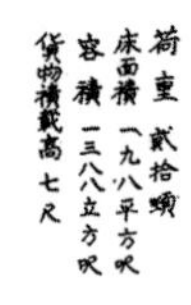

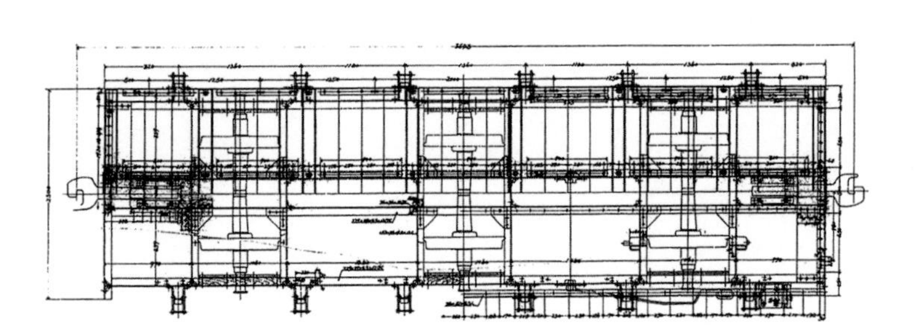

図12　チ30500M44形の組立図
『日車の車輌史』編集部提供

写真５
チサ100形246
1963.3　釧路
P：鈴木靖人

本来の用途である２間材を前後２列に積載した姿である。

写真６
チサ100形313
1969.8.25　小頓別
P：堀井純一

ヨンサントウで「道外禁止」の「ロ」車になってからの写真。判りにくいが床板部は黄色に塗装されている。操車作業員の安全対策のため側ブレーキの握り棒が改良され、これに併せて検査関係標記板の位置が中央寄りに変更されている。

写真７
チサ100形462
1970.8.13　五稜郭
P：川喜多新太郎

台枠下部に見える板は光学式自動番号読取装置用のバーコードで、昭和40年代中頃に北海道内で試験されたが、雪やシートなどで隠されたり汚損したりで、結局実用化されることはなかった。

積荷は角材で、両端が僅かに高くなるよう積付けられている点は模型ファン必見。また柵柱も１本足りないが良いのだろうか。

ト23700^{M44}形⇨トサ1形^{初代}

大正中期に行われた「増トン工事」で、常磐炭輸送用の大型無蓋車として試作された車輌。大正7～9年度に大宮工場でト21600^{M44}形15トン積無蓋車【図13】を3軸化改造して24トン積としたもので、大正7年度に23700～23719の20輌・同9年度に23720～23749の30輌がそれぞれ改造された。

写真は未発見だが、形式図から外観・構造はタイプ1～3の3種があった。全てに共通する項目は、種車であるト21600^{M44}形の側板・妻板を車体上部に5枚分増設して容積を増大し、あおり戸・開き戸を改造すると共に、台枠中央に1軸を増設して3軸車とした点であった。

昭和3年の大改番でトサ1形初代となったが、改番の順序は番号順ではなく、車体のタイプ別に附番された。結局のところ使い難かったようで、昭和5～6年頃にトム1形に復元され、形式消滅した。

■ロット1　番号23700～23709　輌数10

大正7年度の改造では、外観・構造の異なるものが3種類競作された。これは量産に備えて、使用上のデータを収集するためと考えられる。23700～23709の10輌はタイプ1で、あおり戸は種車の2枚から4枚に拡大され、開き戸は車体上部に移設された。妻板上部は山形となり、車体高は3,130㎜・容積は30.0㎥となった。昭和3年の大改番ではトサ1～10となった。

■ロット2　番号23710～23714　輌数5

大正7年度改造車のうち23710～23714がタイプ2である。あおり戸の枚数は4枚ではなく3枚となり、開き戸は種車の位置のままとされた。昭和3年の大改番ではロット4の後にまとめられ、トサ41～45となった。

■ロット3　番号23715～23719　輌数5

大正7年度改造でト21600^{M44}形22536, 22583, 22637, 22672, 22697から改造された。タイプ3は、あおり戸と開き戸の構造はタイプ2と酷似するものの、妻板上部が平坦である点が特徴である。このため車体高は2,902㎜とタイプ1・2より228㎜低く、容積も27.3㎥と2.7㎥小さい。昭和3年の大改番でトサ46～50となった。

■ロット4　番号23720～23749　輌数30

大正9年度の改造車で、タイプ1～3を比較した結果、タイプ1が量産されることになった。昭和3年の大改番ではロット1の次にまとめられ、トサ11～40となった。

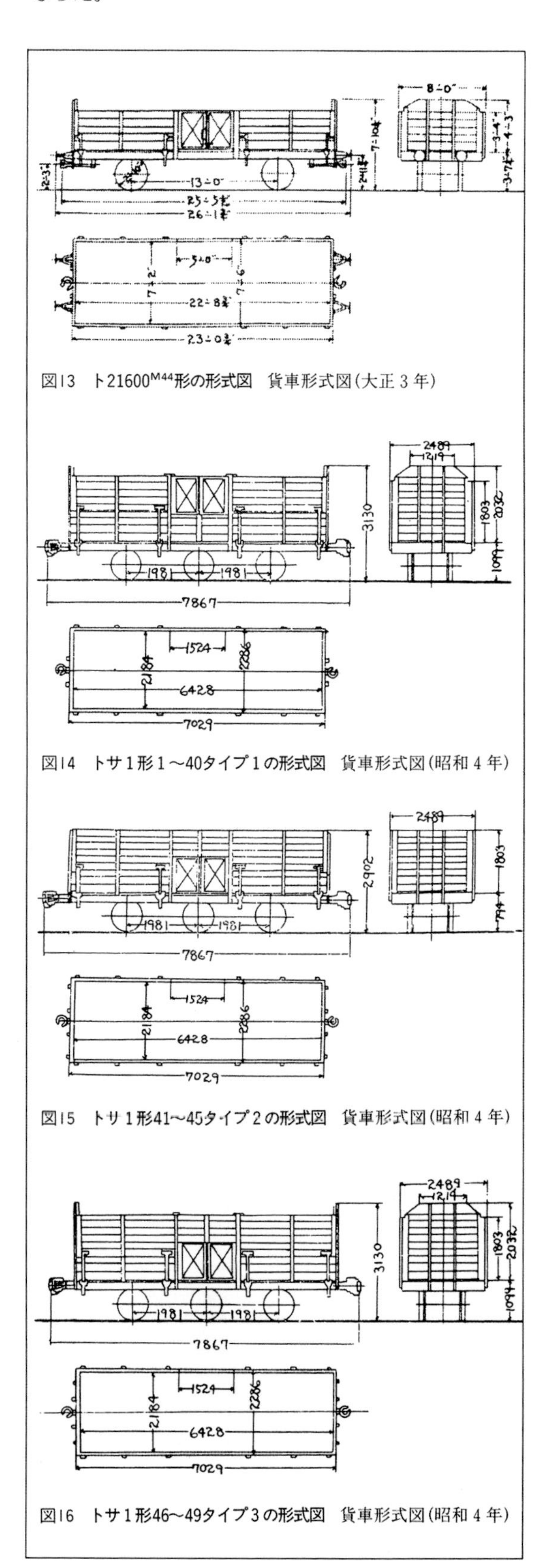

図13　ト21600^{M44}形の形式図　貨車形式図（大正3年）

図14　トサ1形1～40タイプ1の形式図　貨車形式図（昭和4年）

図15　トサ1形41～45タイプ2の形式図　貨車形式図（昭和4年）

図16　トサ1形46～49タイプ3の形式図　貨車形式図（昭和4年）

ア1530M44形二代⇨タ500形

ア1530M44形二代は10トン積[種別なし]タンク車で、大正14年新潟で7トン積2軸車15輌を10トン積3軸車10輌に改造するという前代未聞の大改造により誕生した形式である。改造時の所有者は中野興業KK・常備駅は新津であった。

種車となったのは明治41年新潟で中野興業部ナ8～ナ22として15輌製作された7トン積タンク車で、明治44年の大改番でア1530M44形初代1530～1544となった車輌である。改造内容は、2軸車3輌を解体して3軸車2輌を組み立てる大規模なもので、既に20トン積3軸車が主流となった時代に、何故この様な費用対効果に乏しい大改造を企画したのか理解に苦しむ。タンク体は種車3輌(A～C)の内、A・Bタンク体の一方の鏡板を外し、中央から二分割した種車Cのタンク体を各々に接続したと推定されている。また台枠も種車の台枠を切り継いで使用したようで、側枠には大きな接続痕が見られる。

改造後も同一形式を名乗ったが、古今を通じて同一形式内に2軸車と3軸車が混在したのは本形式が唯一の例であり、本稿では3軸車をア1530M44形二代として区別する。計画では2軸車の1530～1544を、3軸車の1530～1539にまとめる予定であったと推定されるが、実際には1530～35，37～39と1543となった。

昭和3年の大改番ではタ500形500～509となり、戦災に遭うこともなく、戦後は全車日本石油運送KK所有となった。時期は不明だが更新改造【写真9】を受け、タンク固定はセンタアンカ方式となり、タンク踏板も新設された。その後、老朽車淘汰の波を受け昭和36年4～10月にかけて廃車となった。

写真8
ア1530M44形二代1531
(⇨タ500形501)
KK新潟鉄工所提供

ア1530形時代の写真で、改造落成時に撮影されたものと思われる。台枠の切り継いで延長した接合部がはっきり判る。

写真9
タ500形506
1954.2　浜川崎
P：園田正雄

更新後の姿で、タンク固定はセンタアンカ方式となり、鏡板の横木は撤去された。タンク踏板と梯子は更新修繕で追加されたものである。運転関係・検査関係標記板も新設されている。

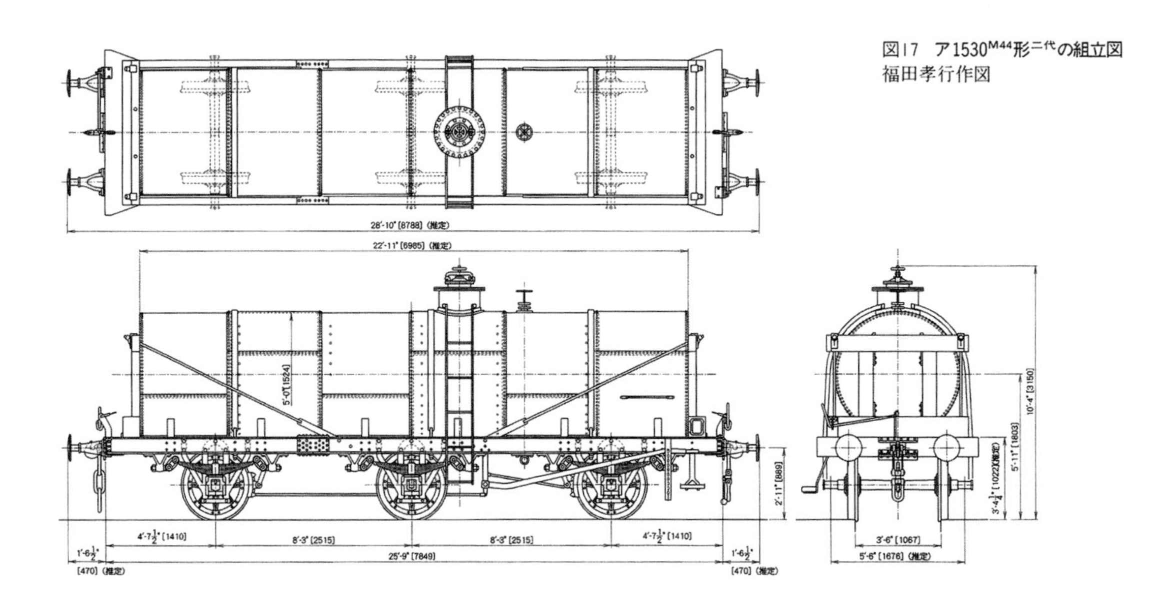

図17　ア1530M44形二代の組立図
福田孝行作図

フア27000M44形⇨ア27000M44形⇨タサ1形1～100

フア27000M44形こそ、わが国で初めて製作された3軸タンク車で、大正3年10月～4年6月にかけて新潟で27000～27099の100輌が製作された。落成時の専用種別は[種別なし]・所有者は日本石油KKであった。荷重は20トンで、これまでの最大荷重である12トンから飛躍的に大型化し、このような大型車を100輌まとめて製作したことは、タンク車史上空前の出来事であった。

大正初期は貨車設計の基調がイギリス流からドイツ流に変更された時期であり、本形式もドイツ・オランダなどのタンク車に範を取ったヨーロッパ大陸風の設計となった。また落成時は車端部に制動手室を有していた。これは上越地方から岩越線(現在の磐越線)経由で石油を輸送する際、大型車である本形式に対して、列車全体に対するブレーキ力の発揮を期待したためであった。

タンク材質は普通鋼・組立は鋲接で、タンク寸法は長さ25ft 8 in(7,823mm)×直径6 ft 9 in(2,057mm)であった。タンク中心高さは5 ft10in(1,778mm)で、タンク体は730mmほど台枠内に落し込まれていた。このためタンク体下部で車輪フランジが接触する部分は半円形に切り欠かれている。タンク固定は一体化方式で、タンク体は片側3個所、全体で6個所ある繋ぎ板により、台枠に結合され、ドームと反対側の端部には鋼製の制動手室があり、タンク体に取り付けられていた。

台枠はタンク体を落し込むため中梁を省略したものとなり、長さ28ft(8,534mm)・軸距9 ft(2,743mm)×2であった。車軸中心から車端までの長さであるオーバーハング長は5 ft(1,524mm)と短い。車軸には10トン短軸を使用し、台枠側梁は軸箱の直上に設けられたため、台枠幅は5 ft 5 ½in(1,664mm)と狭い。連結器は連環連結器で端梁にはバッファーがあり、ブレーキは手ブレーキと側ブレーキの両方が併用され、両端の2軸に作用した。

大正9年10月には制動手室が撤去され、形式もア27000M44形に変更された。大正14年の自連改造では、タンク体を加工することはせず、台枠を前後に各1 ft 7 in(483mm)程度延長して自連の設置スペースを設けた。

昭和3年の大改番ではタサ1形1～100となった。昭和6年2月に84～100の17輌はタラ1形109～125に専用種別・荷重変更されたが、84～93は昭和12年5月、残り7輌は昭和14年5月に原番号に復元された。戦争中は石油共販KKや帝国石油KK所有になった車輌もあり、1, 4, 12, 33, 36, 60, 63, 65, 67, 76, 77, 80, 87, 94, 98の15輌は戦災廃車となった。昭和23年4月時点での残存車85輌の所有者は、石油配給KK16輌・日本石油KK34輌・日本石油輸送KK35輌であったが、その後石油配給KKの所有車は日本石油KKに移籍された。昭和35年には日本石油KK所有車のうち7輌が日本石油輸送KKに移籍された。昭和30年代後半から廃車が盛んとなり、昭和40年3月15日に最後まで残った日本石油輸送KK所有車12輌が廃車されたことで、わが国3軸タンク車の嚆矢であった車輌達も遂にその姿を消した。

写真10
タサ1形3
(⇐ア27000[M44]形27002)
1957.12.29　新鶴見
P：西野保行

フア27000[M44]形は大正3年新潟製。

写真の車輌はフア27002として、わが国で最初に製作された3軸タンク車の1輌。タンク体左端に梯子が新設されている点に注目して欲しい。ドーム周囲のタンク踏板と左右側面にある梯子は、その後に追加されたものである。

写真11
タサ1形25
(⇐ア27000[M44]形27024)
P：久保　敏

日本石油輸送KKの所有車で、タンク踏板と梯子は後に更新修繕で改造されたもの。タサ146、202の写真と比較して欲しい。

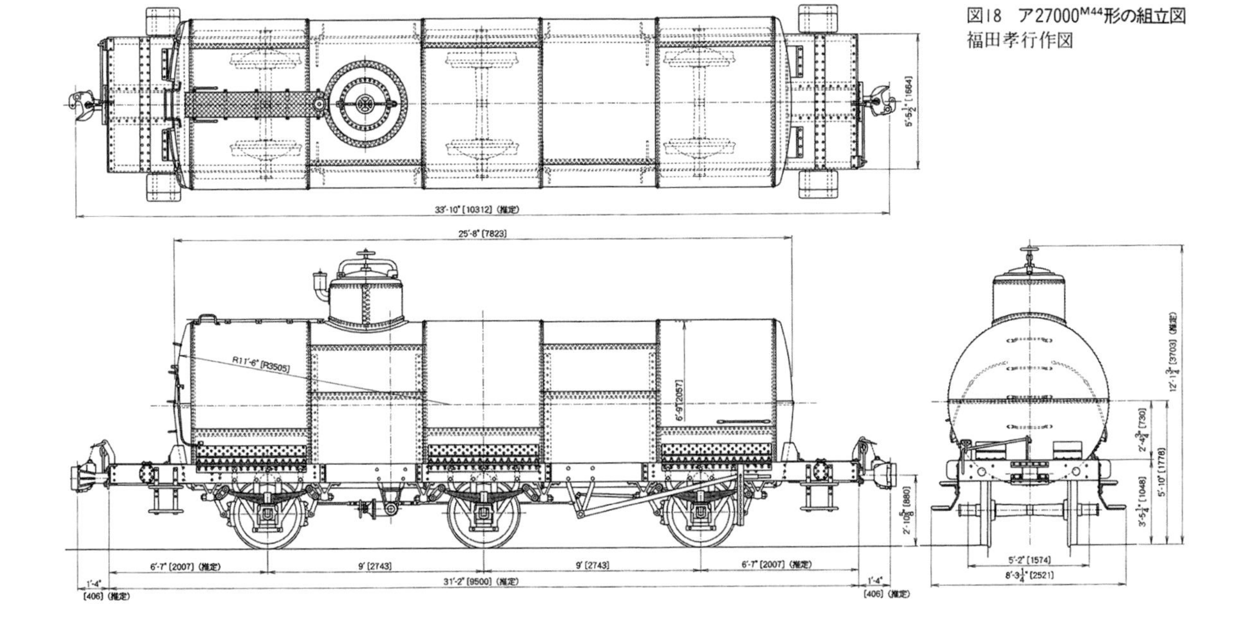

図18　ア27000[M44]形の組立図
福田孝行作図

写真12
タサ1形40
(⇐ア27000^{M44}形27039)
1957.12.30　新鶴見
P：西野保行

大正３年新潟製である。写真は日本石油KK時代の姿だが、昭和35年に日本石油輸送KKに移籍された後、昭和37年に廃車された。社紋は古いタイプのもので、蝙蝠が円の中に入っていない。

写真13
タサ1形51
(⇐ア27000^{M44}形27050)
1952.4.28　小牛田
P：伊藤威信

日本石油運送KK時代の写真で、タンク踏板と梯子が増設されているが、タサ25と形態が異なる。車票挿しは台枠に設けられている。

写真14
タサ1形88
(⇐ア27000^{M44}形27087)
1958.4.20　入江
P：西野保行

手前側のタンク上に見える金具はタンク梯子が設置されていた痕跡と思われる。またタンク踏板の形態はタサ40などと異なり、運転関係標記板が新設され、日本石油の社紋も新しいタイプとなっている。

フア27200^{M44}形⇨ア27200^{M44}形⇨タサ１形101〜145

フア27200^{M44}形20トン積[種別なし]タンク車は、大正４年３〜５月日車本店で27200〜27044の45輌が製作された。タンク車では珍しい鉄道省所有車で、蒸気機関車の燃料用重油の輸送用であった。

外観・構造は日本石油が前年製作したフア27000^{M44}形を模倣したもので、制動手室も同様に設けられていた。タンク体は普通鋼の鋲接組立で、板厚は胴板4.5㎜・鏡板６㎜と現在の半分以下であった。タンク寸法はフア27000^{M44}形に準拠しているが、外観的には鋲接位置が異なっている。

台枠は中梁省略型で、長さは28ft 6 in(8,686㎜)と６in長くなった。これはオーバーハング部が３in延長され５ft ３in(1,600㎜)となったためである。軸距９ft(2,743㎜)×２は変化せず、車軸には10トン短軸を使用していた。連結器は連環連結器で、端梁にはバッファーが装備されていた。

大正９年９月、制動手室が撤去され、形式もア27200^{M44}形に変更された。大正14年の自連改造ではタンク両端下部を切り欠き、この部分に自連緩衝器を収納した。この構造は自連への移行作業が計画された大正８年頃に設計されたもので、大正８年以降新製する３軸タンク車は、自連準備車としてこの図面よりタンク両端下部を切り欠いておくように定められた。

昭和３年の大改番ではタサ１形100〜144となり、昭和６〜８年にかけて表１に示す29輌(内４輌は重複)が民間各社に払下られた。国鉄に残った16輌は戦災廃車にもならず、昭和38年２月に最後まで残った122が廃車された。一方、払下げ車では111, 114, 115, 140, 144が戦災廃車となり、残る20輌は各社で活躍していたが、昭和40年11月15日に最後まで残ったタサ132が廃車となった。

表１　国鉄所有車の民間への払下げ一覧

番号	輌数	所有者	常備駅	編入時期	最終車の車籍除外時期
107〜118	4	合資会社土井商店	二条	S050512	S080112で国鉄に復籍
107〜110	4	丸善礦油合名会社	新川	S080422	(丸善石油KK)S350213
111〜114	4	早山製油所	浅野	S070401	112(昭和石油KK)S400315
115	1	和田喜一郎	関屋	S060606	戦災廃車
116	1	〃	〃	S080703	(日本石油輸送KK)S400331
129	1	輸西製鉄KK	東室蘭	S071014	(富士製鉄KK)S330507
130	1	〃	〃	S071206	〃
131〜135	5	合資会社加藤本店	長岡	S070708	132(日本石油輸送KK)S401115
138〜145	8	日本石油KK	雄物川、石油、下松	S070329	138、143(日本石油輸送KK)S400315

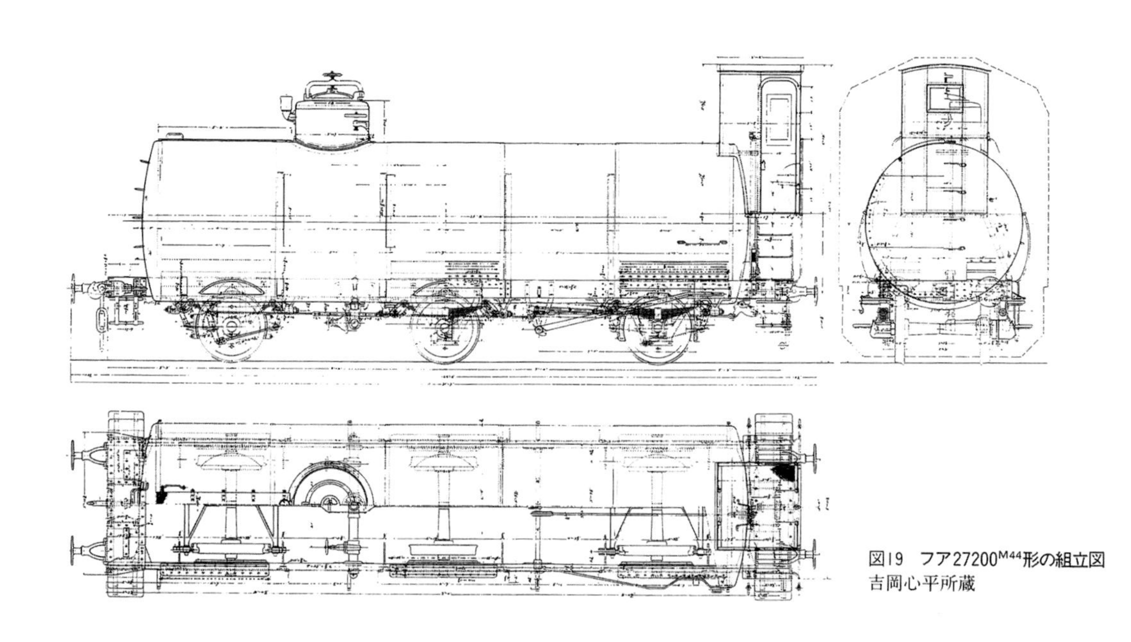

図19　フア27200^{M44}形の組立図
吉岡心平所蔵

写真15
フア27200^{M44}形27205
(⇨タサ１形106)
『日車の車輌史』編集部提供

落成時に撮影された写真。制動手室が付いていた期間は約５年間と短かいため、残された写真も少ない。

写真16
タサ１形103
(⇦ア27200^{M44}形27204)
P：鈴木靖人

晩年の撮影で、タンク体からの漏洩が良く判る写真として掲載した。鋲接タンク体はコーキングにより漏洩を防止しているが、長年の使用による鋲緩みが弱点であった。
右側の鏡板に見える部材は撤去された制動手室の取付アングルと手ブレーキの支持体であったものである。

写真17
タサ１形130
(⇦ア27200^{M44}形27231)
P：堀井純一

構内専用車となってからの写真で、タンク踏板と梯子は改造により独特のものが追加されているが、手前側の鏡板にはタンク上に登るためのステップが残されていた。写真の車輌の軸箱守はプレス製の新品に交換されているが、このような例は珍しい。またタンク体上に制動手室取付用のアングルが残されている点に注意して欲しい。

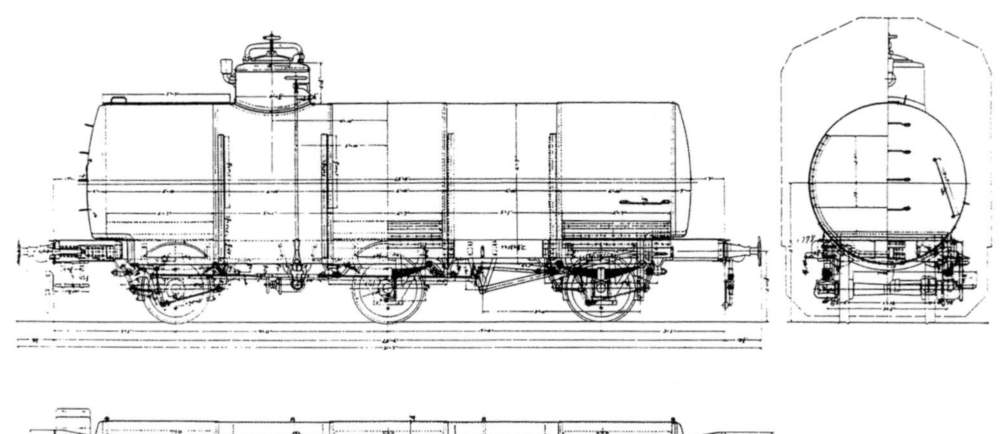

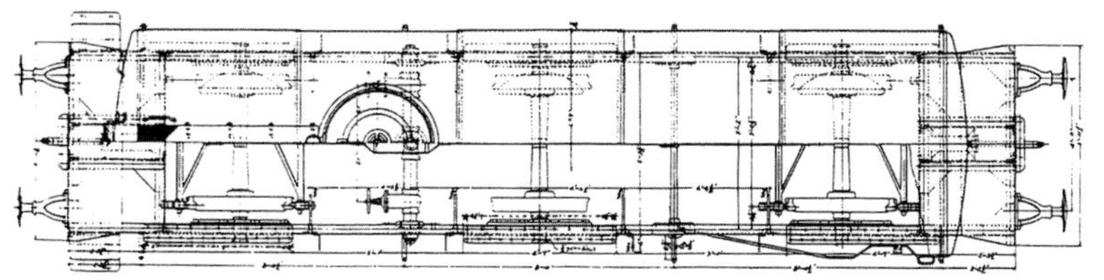

図20　ア27200^{M44}形の組立図
『日車の車輌史』編集部提供

ア27300^{M44}形⇨タサ１形146〜149

ア27300^{M44}形は20トン積[種別なし]タンク車で、大正８年新潟で27300〜27303の４輌が製作されたが、車籍編入されたのは大正11年７月である。所有者は海軍燃料廠・常備駅は徳山であった。

外観・構造は４年前新潟で製作されたア27000^{M44}形と酷似するが、落成時から自連準備車として製作されたため、落成時からタンク両端下部には切欠があり、台枠両端には自連緩衝器を収納するスペースが設けられていた。このため、大正14年の自連改造では台枠延長は実施されずに終わった。またドーム寄りのタンク鏡板にあったステップは、梯子に変更されている。

昭和３年の大改番ではタサ１形146〜149となった。148は戦災廃車となり､残る３輌は進駐軍による接収を経て、昭和22年頃日本石油運送KKに払い下げられた。その後146，147は昭和38年７月･149は昭和40年３月にそれぞれ車籍除外となった。

写真18
タサ１形146
(⇦ア27300^{M44}形27300)
『日車の車輌史』編集部提供

タサ146はア27300^{M44}から昭和３年に改番された。写真は日車で更新修繕した際の落成写真で、自連準備車の特徴であるタンク両端下部の切欠きが良く判る。手前寄りのタンク体端部にある突起は、鏡板に設置されていた梯子を撤去した跡である。タンク踏板廻りはすべて更新で追加されたもので、運転関係・検査関係の標記板も新設されている。

ア27320^{M44}形⇨タサ１形150〜184

ア27320^{M44}形はライジングサン石油KKの所有車で、荷重は20トン・専用種別は[種別なし]であった。製造時期とメーカーにより２ロットに大別される。

■ロット１　番号27320〜27339　輛数20

大正12年７月川崎造船所の製作で、所有者は旭石油KK・受授駅は秋田であった。なお、戦前に川崎が製作したタンク車は極めて珍しい存在である。

基本設計はア27200^{M44}形を忠実にトレースしたものだが、自連準備車として落成時からタンク両端下部が切り欠かれていた点が異なる。タンク体は鋲接組立て、寸法は長さ25ft 8 in(7,825mm)×直径６ft 9 in(2,057mm)であった。タンク中心高さは５ft10in(1,778mm)で、タンク体は台枠内に落し込まれ、タンク固定は一体化方式であった。台枠は中梁省略型で、長さ28ft 6 in(8,686mm)・軸距９ft(2,743mm)×２はア27200形^{M44}と同一であった。

大正13年２月にライジングサン石油KK所有に移籍され、昭和２年12月にはア27320〜22，24，33の５輛が19トン積揮発油専用となった。昭和３年の大改番ではタ

写真19
ア27320^{M44}形27324
(⇨タサ１形154)
川崎重工業KK提供

戦前期に川崎が製作したタンク車は少数で貴重なものである。車輛番号の下の白線は甲号契約の私有貨車であることを示している。甲号契約とは、保守を国鉄でなく所有者が行なうもので、現在は大物車に残されている制度だが、当時はタンク車の一部にも残っていた。常備駅の代わりに「受授駅」となっている点に注意。

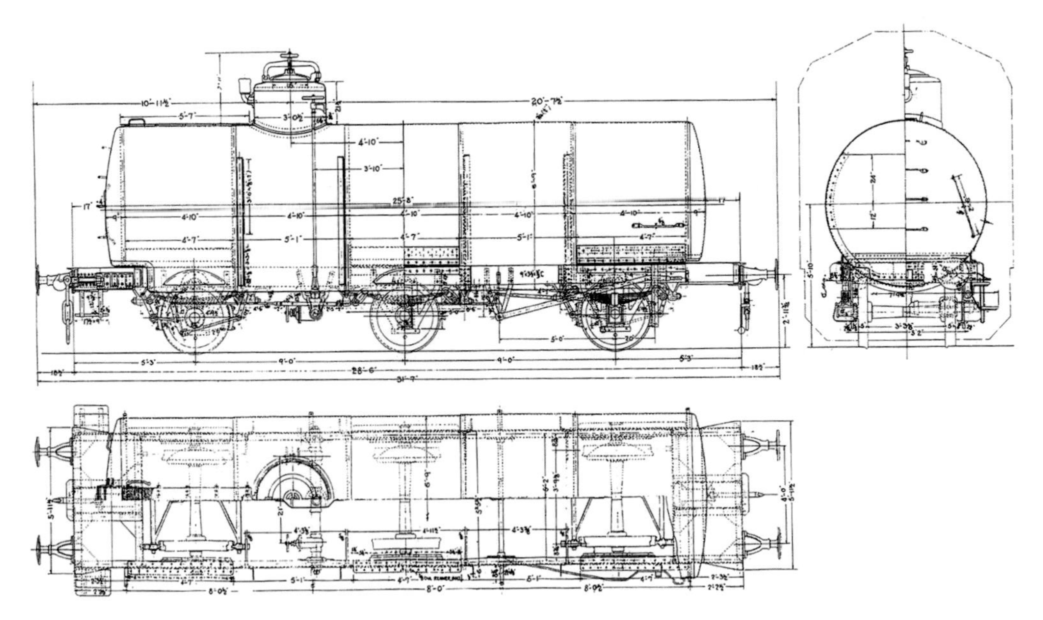

図21　ア27320^{M44}形27320〜27339ロット１の組立図
『日車の車輛史』編集部提供

写真20
ア27320^{M44}形のものと思われる据置タンク体
P：宮坂達也

据置タンク体として使用されていたもので、タンク鏡板下部の切り欠きと車輪毎に設けられたフランジの逃げがはっきり判る。タンク体の鋲接位置と鏡板のステップ跡の有無からア27320^{M44}形のものと推定した。左の写真と比較して欲しい。

写真21
タサ1形171
(⇐ア27320^{M44}形27341)
1951.7.22　大船
P：伊藤威信

タサ1形の中では最も後期に製作されたもので、落成時から自連を装備し、車軸にも長軸を使用した。これにより台枠幅が350mm広くなったことから、タンク体を固定する繋ぎ板が裾広がりとなり、タンク体と繋ぎ板の鋲接位置も短軸の車輌の場合よりも高くなっている。

サ1形150～169となり、昭和5年12月には揮発油専用車はタラ1形100～104ロット1に改番された。155，157，167の3輌は昭和8年3月に除籍されている。残る12輌は戦中期に敵産管理法による接収を経て、石油配給KK所有となったが、昭和24年3月にシェル石油KKに返還された。一部の車輌は20トン積のままガソリン専用車として使用された。昭和34年から廃車が始まり、最後まで残った156も昭和41年2月に姿を消した。

■ロット2　番号27340～27354　輌数15

昭和2年9月日車本店製で、所有者はライジングサン石油KK・常備駅は野田・石油・野内であった。後年タサ1形となった車輌達の中では、最後に製作されたグループである。

タンク体はア27320～27339ロット1と同一だが、ドーム寄りのタンク鏡板にはステップに代えて梯子が設置された。大正14年の自連改造後に製作されたため、端梁にバッファー装備跡はない。タサ1形で初めて長軸を採用したため、台枠幅はこれまでの5 ft 5 ½in(1,664mm)から6 ft 7 ½in(2,019mm)へと約350mm広くなった。また落成時は側ブレーキだけだったが、昭和12年頃日車で空気ブレーキが追加され、この改造によりブレーキテコは反対側に移設された。

昭和3年6月にはア27344～47の4輌が19トン積揮発油専用となった。昭和3年の大改番ではタサ1形170～184となり、昭和5年12月には揮発油専用車はタラ1形105～108ロット1に改番されたが、106～108の3輌は改番後わずか19日でタサ1形175～177に復元された。戦中期はロット1と同じ推移を辿り、戦後はシェル石油KKに返還された。戦災廃車はなく、一部の車輌は20トン積のままガソリン専用車として使用されていた。タサ1形の中では空気ブレーキを装備した優良車であり、なかでも173，175，177，179の4輌はヨンサントウ間近の昭和43年7月まで使用されていた。

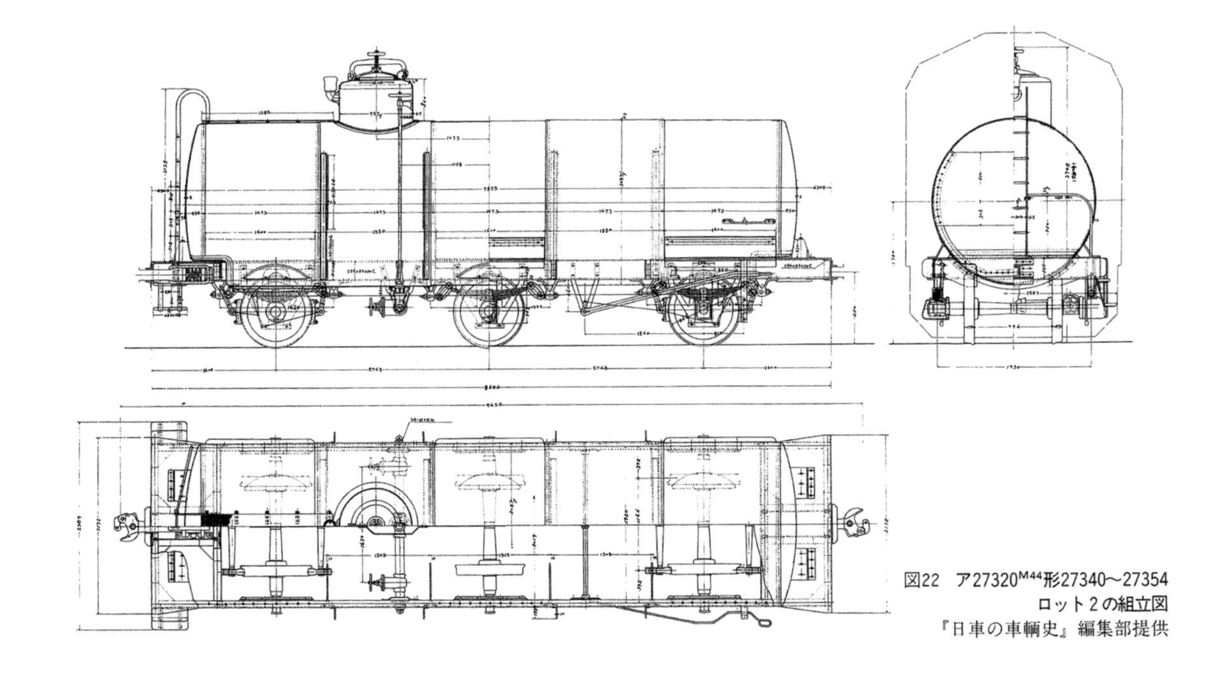

図22　ア27320M44形27340〜27354
ロット2の組立図
『日車の車輌史』編集部提供

ア27350M44形⇨ア27380M44形⇨タサ1形185〜189

ア27350M44形は中野興業KK所有の20トン積[種別なし]タンク車として、大正13年12月新潟で27350〜27354の5輌が製作された。落成時の常備駅は新津であった。

外観・構造は大正8年新潟製のア27300M44形に酷似するが、鏡板のステップに代わってタンク梯子が設置された。また3軸タンク車では最後の短軸使用車であった。

昭和2年10月、ア27380M44形27380〜27384に改番されたが、これはア27320M44形ロット2の増備による番号重複を避けるためであった。

昭和3年の大改番ではタサ1形185〜189となった。戦中期は石油配給KKへの移行を経て、戦災廃車になることもなく、戦後は全車日本石油運送KKの所有となった。187は昭和39年3月、残る4輌は昭和40年3月に廃車された。

写真22
ア27350M44形27351他
(⇨タサ1形186)
KK新潟鉄工所提供

落成時に新潟鉄工所構内で撮影された写真。新潟製のタサ1形では最後に製作されたグループだが、梯子等の細部を除けば、初期の作品と変わらない。

ア27500M44形⇨タサ１形190〜198

ア27500M44形は小倉石油KKの所有車で、荷重は20トン・専用種別は[種別なし]であった。

■ロット１　番号27500〜27509　輌数10

大正８年８〜９月製で、常備駅は隅田川であった。

本ロットの製造所は、新潟・日車本店の２説があるが、現状では資料不足のため決定できない。

国鉄公式資料、たとえば貨車形式図に掲載された図面【図23】ではタンク中心高さは５ft10in(1,778㎜)、台枠長さ28ft(8,534㎜)となっているが、これは新潟製の特徴と合致する。

一方日車の資料によれば、売上40期(大正８年６〜11月)に小倉石油店向に20トン積６輪油槽車を10輌納入しており、製作に際してはア27550M44形と同一図面【図24】を使用したと記述されている。これが正当であればタンク中心高さは６ft２in(1,778㎜)、台枠長さ28ft６in(8,686㎜)となる筈である。

図面の存在する新潟説が優勢のようだが、当時の形式図は誤りが多く信頼性に欠けることが知られており、写真の発見が待たれる。

閑話休題、所有者は大正14年５月に小倉石油KKに社名変更した。昭和２年６月にはア27500〜27502，27506〜27508の６輌が除籍された。恐らく台湾へ異動したものかと推察される。残った４輌は昭和３年の大改番でタサ１形190〜193となった。昭和16年６月、小倉石油KKは日本石油KKに吸収合併された。190は戦災廃車となり、残る３輌は戦後も日本石油KKで使用されていたが、昭和35年頃に廃車された。

■ロット２　番号27510〜27514　輌数５

大正８年12月新潟製で、常備駅は隅田川であった。

所有者の推移はロット１と同様で、昭和３年の大改番ではタサ１形194〜198となった。日本石油KKとの合併、石油配給KKへの移籍を経て、戦災廃車となった車輌もなく、昭和35年12月に日本石油輸送KKに移籍した198は、昭和38年７月まで使用されていたが、日本石油KKに残った４輌は、昭和35年頃までに廃車となった。

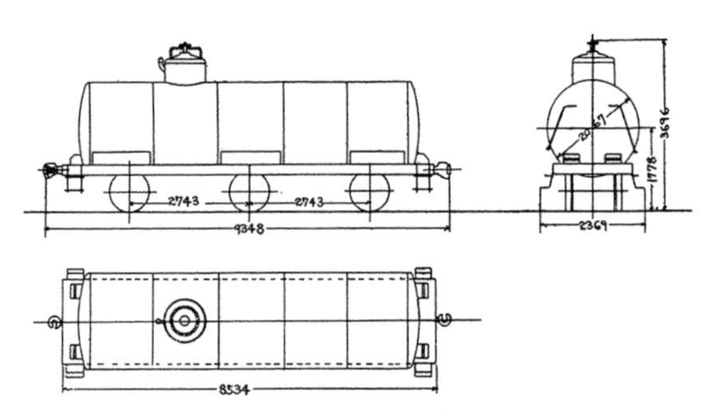

図23　タサ１形190〜198の形式図　貨車形式図(昭和４年)

ア27550M44形⇨タサ１形199〜203

ア27550M44形は寶田石油KKの所有車で、荷重は20トン・専用種別は[種別なし]であった。

■ロット１　番号27550〜27559　輌数10

大正８年11〜12月日車本店製で、常備駅は沼垂であった。タンク組立には鋲接に加えて溶接が使用されているが、これはこの時期のタンク車としては極めて先駆的な試みであった。またタンク体下部の半円形切込みを除去するため、タンク中心高さは従来より４in(102㎜)高い６ft２in(1,880㎜)となった。落成時から自連準備車としてタンク両端下部には切欠があり、台枠両端には自連緩衝器を収納するスペースが設けられていたが、大正14年の自連改造では台枠が延長された。恐らく寸法面で不適当な部分があったものと考えられる。

台枠は中梁省略型で、長さ28ft６in(8,686㎜)、オーバーハング長５ft３in(1,600㎜)は日車製の標準寸法である。ブレーキは側ブレーキで、ア27200M44形とは異なり車端の１軸だけに作用するものであった。

大正15年３月にア27553〜55，57，60〜62，64の８輌、昭和２年４月に27551，56の２輌がそれぞれ除籍され、残る５輌は昭和３年の大改番でタサ１形199〜202となった。

戦後は日本石油KKと日本石油輸送KKとに分割されたが、最後まで残った202が昭和40年３月廃車となったことで、このグループは消滅した。

■ロット２　番号27560〜27564　輌数５

大正９年６月日車本店製で、常備駅は沼垂であった。半年前に製作されたア27550〜27559ロット1を増備したもので、外観・構造はこれと同一と推察される。

大正15年３月にア27560〜27562，27564の４輌が除籍され、昭和３年の大改番では唯一残った27563がタサ１形203となった。昭和４年１月には19トン積揮発油専用となり、タラ100形130ロット２に改番されたが、昭和14年５月に原番号に復元された。戦後は日本石油KKのまま使用され、昭和30年代後半に廃車となった。

写真23
ア27550^{M44}形27550
(⇨タサ1形199)
『日車の車輌史』編集部提供

タンク体を良く見ると横方向の鋲接継手が見当たらないが、これは溶接加工を試用したためと考えられる。

写真24
タサ1形202
(⇦ア27550^{M44}形27559)
『日車の車輌史』編集部提供

戦後、日車で更新修繕を受けた際の落成写真。

ア27550^{M44}形はタンク体と車輪間の干渉を除去するため、タンク中心高さを4インチ高くした。このためタンク体と台枠間の繋ぎ板の形状が、ア27000^{M44}、ア27200^{M44}形などと異なる点に注目して欲しい。また台枠は自連改造の際、両端が延長されている。

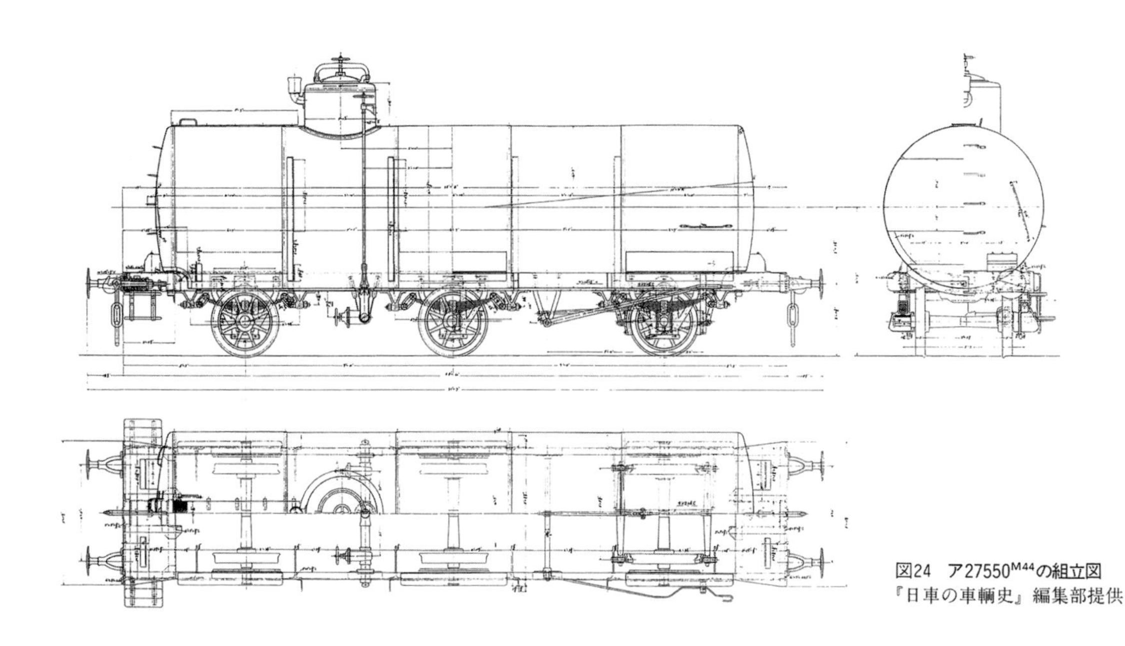

図24 ア27550^{M44}の組立図
『日車の車輌史』編集部提供

台湾総督府⇨タサ１形204〜207

タサ１形204〜207の４輌は、すでに台湾で使用されていた貨車を車籍編入したもの。昭和９年５月編入で、所有者は三菱商事KK・常備駅は浪速であった。このように外国で使用されていた貨車を、わが国に輸入して私有貨車とした例は極めて珍しく、この４輌が唯一の例と思われる。

荷重は20トン・専用種別は[種別なし]で、唯一残されたタサ204の図面によれば昭和２年台湾の基隆ドック製であった。タンク体は鋲接組立て、板厚は胴板4.5mm・鏡板６mmと現在の値と比較すると半分以下である。タンク寸法は長さ25ft 8 in(7,823mm)×直径６ft ９ in(2,057mm)、そして中心高さは５ft10in(1,778mm)で、新潟製と同一である。タンク固定は一体化方式だが、前後の繋ぎ板が中央のものより短い点は、他のロットに見られない特徴である。

台枠は中梁省略型で、長さ28ft(8,534mm)・軸距９ft(2,743mm)×２は新潟製と同一で、オーバーハング長は５ft(1,524mm)と短い。同年に製作された内地向のア27320$^{\text{M44}}$形$^{\text{ロット2}}$は長軸を使用したが、台湾では短軸の使用を継続したため、車軸には10トン短軸を使用し、台枠幅は５ft ５1/2in(1,664mm)と狭いままである。

戦争中は石油配給KKを経て、戦後は三菱石油KK所有となったが、昭和32年１月から廃車が始まり、昭和33年12月の207の廃車を最後に、すべて姿を消した。

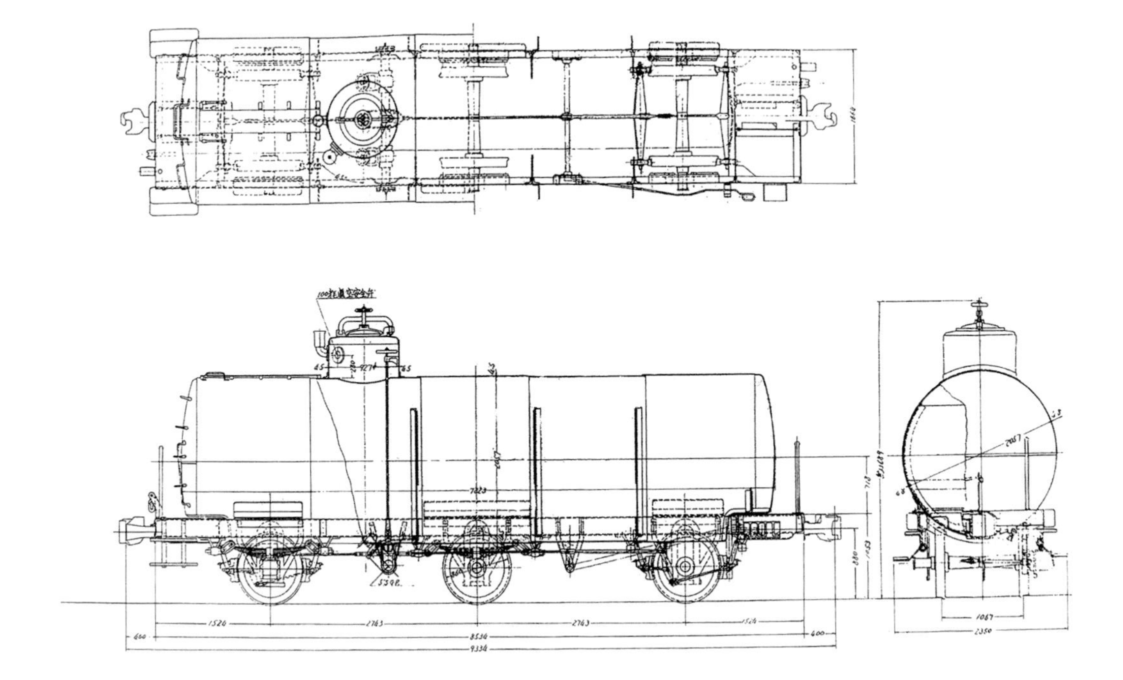

図25　タサ１形204の組立図
KK新潟鉄工所提供

タサ１形208

昭和22年４月に戦災３軸タンク車を利用して製作された戦災復旧車。写真・図面が残されていないため、外観・構造は全く判らない。

落成時の所有者は日本陸運産業KK・常備駅は浜安善であった。昭和22年６月興国人絹パルプKKを経て、昭和26年10月に由良精工KKに異動後、昭和30年11月には社名変更により本州化学KK所有となり、昭和34年１月に廃車となった。一体何を運んでいたのだろうか。

ア27370^{M44}形⇨タサ500形500～503

ア27370^{M44}形20トン積クレオソート専用車で、大正15年２～３月日本製鋼所で27370～27373の４輌が製作された。所有者は北海木材防腐KK・常備駅は輪西であった。タサ500形のクレオソート専用車は本ロットだけで、また日本製鋼所で作られた唯一の私有貨車であった。

外観・構造はア27000^{M44}形に類似し、タンク体は鋲接組立て、比重が高いためア27000^{M44}形より一回り細く、寸法は長さ24ft 9 in(7,544㎜)推定・直径は５ft 9⅛in(1,756㎜)で、タンク固定は一体化方式であった。

台枠は平型で、長さは28ft 6 in(8,686㎜)・軸距は９ft(2,743㎜)×２であった。本形式は初めて長軸車軸を使用した３軸タンク車で、このため台枠側梁の間隔は６ft 7½in(2,020㎜)と広い。車軸は10トン長軸、ブレーキは側ブレーキであった。

昭和３年の大改番ではタサ500形500～503ロット1となった。落成時から木材防腐用のクレオソート輸送に使用され、戦後は新宮工業KKを経てKK新宮商工の所有となったが、昭和43年４～５月に最後まで残った500,502の２輌が廃車となった。

なおタサ503は昭和８年８月に17トン積重油専用車に専用種別変更され、タラ200形200となったが、昭和15年12月に原番号に復元されている。

写真25
タサ500形503
(⇦ア27370^{M44}形27373)
1964.7.23
P：鈴木靖人

ア27370^{M44}形はドーム側面には大型の製造所銘板がある。わが国３軸タンク車で初めて長軸を採用したため、台枠の幅が異様に広い。大正15年日本製鋼所製で、写真の503は昭和８年タラ200形に改造後、昭和15年に復元された車輌である。

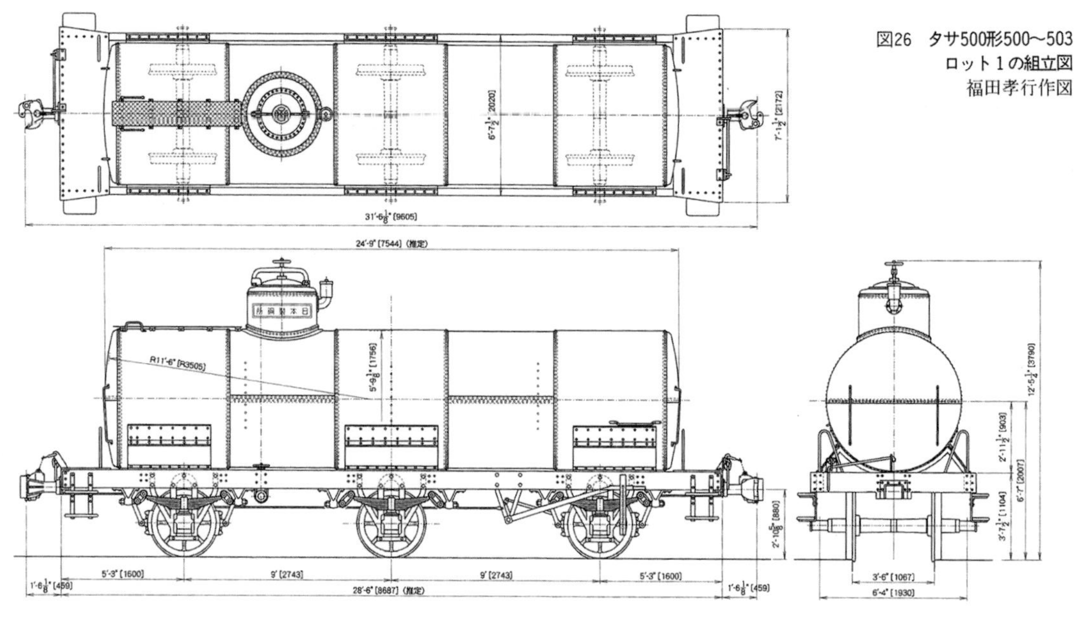

図26　タサ500形500～503
ロット１の組立図
福田孝行作図

ア27570^{M44}形⇨タサ500形504〜522

ア27570^{M44}形は19トン積揮発油専用車で、昭和３年４〜８月新潟で27570〜27588の19輌が製作された。本形式の特徴は従来のタサ１形スタイルから脱却し、台枠を中梁付の平型とした点にあり、このためタンク体は台枠上に設置され、大きく印象が変化した。

タンク体は普通鋼の鋲接組立で、板厚は胴板6.4㎜・鏡板８㎜と、タサ１形よりは40％程厚くなったが、相変わらず現在のものより薄い。タンク寸法は長さ7,823㎜×直径2,057㎜でタサ１形と同一で、タンク固定は一体化方式であった。台枠は本形式で初めて導入された横梁６本を持つ平型で、側梁は152×76㎜・中梁と端梁は254×89㎜チャンネルをそれぞれ使用し、長さは8,350㎜・軸距は2,745㎜×２であった。車軸は12トン長軸、担いバネは５種、軸箱守はWガード型である。３軸タンク車として初めて空気ブレーキを装備し、ブレーキは片側＋KD180型空気となった。

落成後数ヶ月を経ずして昭和３年の大改番によりタサ500形504〜522ロット２となったが、19トン車をタサとしたのは明らかな誤りで、昭和６年２月にタラ１形の13〜31ロット３に改番された。

写真26
ア27570^{M44}形27576
(⇨タサ500形510)
KK新潟鉄工所提供

ア27570^{M44}形は落成数ヵ月後の大改番でタサ500形504〜522(ロット２)となったため、ア27570^{M44}形時代の写真は珍しい。

昭和３年新潟製で、タサ１形時代のタンク体落し込み方式から脱却し、台枠は中梁のある通常の平型に変更された。一体化方式のタンク固定法、Wガード式の軸箱守などは従来構造を踏襲している。

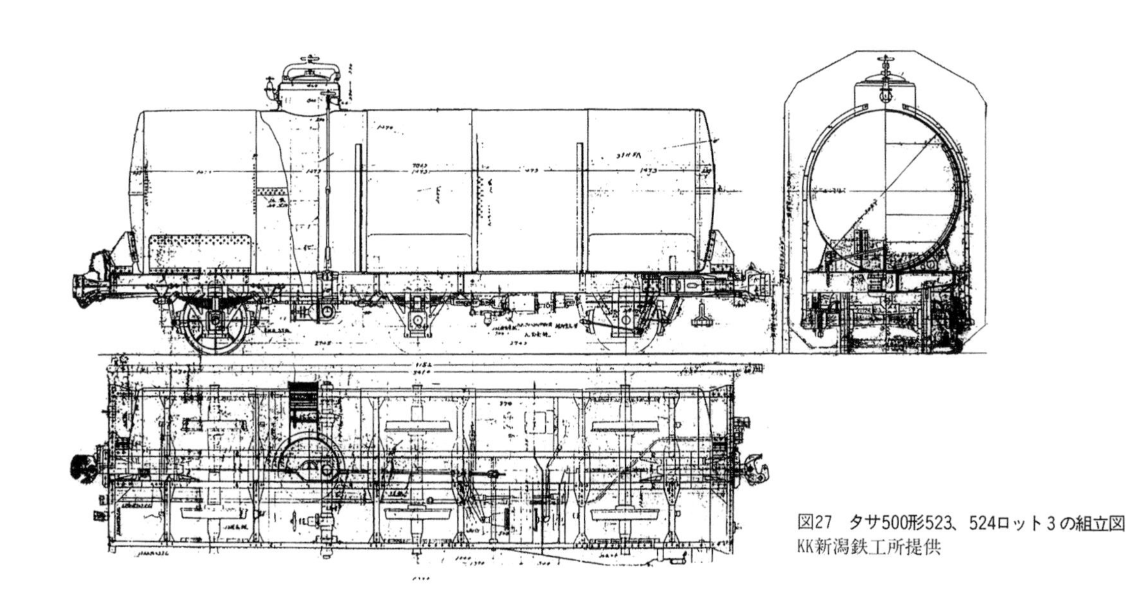

図27　タサ500形523、524ロット３の組立図
KK新潟鉄工所提供

タサ500形

タサ500形は昭和3年の大改番で、石油系タンク車のうち[種別なし]以外の車輛をまとめた形式である。具体的には20トン積クレオソート専用車であるア27370$^{\mathrm{M44}}$形4輛と19トン積揮発油専用車であるア27570$^{\mathrm{M44}}$形19輛、計23輛が本形式に編入された。

その後昭和4～12年にかけて新潟・日車・汽車・浅野・大阪で523～526，529～536，539～583の57輛が製作された。タサ500形となってからの新製車は、専用種別で区別したことは忘れられ、いつしか[種別なし]の車輛も本形式に類別されるようになった。

■ロット3　番号523，524　輛数2

昭和4年4月新潟で製作された20トン積[種別なし]タンク車。一年前に製作されたア27570$^{\mathrm{M44}}$形にと同じ図面で製作され、タンク容積25.5㎥はこれと同一だが、設計比重は0.78・荷重は20トンとなった。

横須賀海軍軍需部所有・田浦駅常備として落成したが、戦後は日本石油運送KKに払い下げられた。523は早期に廃車されたが、524はヨンサントウを生き延び、船川港駅常備として秋田地区で限定運用された後、昭和46年12月に廃車された。

■ロット4　番号525，526　輛数2

昭和4年6月新潟製の[種別なし]タンク車で、外観・構造はロット3と同一である。中野興業KK所有・新津駅常備として誕生後、戦後は日本石油運送KK所有となり秋田地区で使用されていたが、525は昭和43年9月、526は昭和43年4月にそれぞれ廃車となった。

タサ527，528は最初から欠番である。

■ロット5　番号529～536　輛数8

昭和4年5月日車本店製で、専用種別は[種別な

写真27
タサ500形523
KK新潟鉄工所提供

タサ523、524ロット3は昭和4年新潟製。外観・構造はタサ502～522ロット2と同一図面で製作されたため、全く同一であるが、落成時の専用種別は[種別なし]、荷重は20トンとなっている。

写真28
タサ500形524
1971.9.15　秋田港
P：堀井純一

ヨンサントウ以降、船川港常備の特定線区限定運用車として使用されていた最晩年の写真である。更新後のため写真27からタンク踏板廻りが大きく変化しているが、これと運転関係標記板・台枠のフック掛けは更新修繕の際に追加されたものである。

表2　タサ500形のロット表

ロット	番号	輌数	製造	旧番号	専用種別	所有者	常備駅	編入時期
1	500〜503	4	(T15日本製鋼)	ア27370〜27373	クレオソート	北海木材防腐KK	輸西	S031031改番
2	504〜522	19	(S03新潟)	ア27570〜27388	19トン積揮発油	日本石油KK	石油、柏崎	〃
3	523、524	2	504新潟		なし	横須賀海軍軍需部	田浦	S040405
4	525、526	2	〃		〃	中野興業KK	新津	S040627
	527、528		欠番					
5	529〜536	8	S04日車		なし	紐育スタンダード石油会社	糸崎、石油	S040501
	537、538		欠番					
6	539〜543	5	S04汽車東京		なし	三菱商事KK　弁	天橋	S041221
7	544〜549	6	S05日車本店		揮発油	紐青スタンダード石油会社	石油、糸崎	S050505
8	550〜555	6	S05浅野		〃	〃	糸崎、石油	S050816
9	556〜560	5	S05新潟		なし	中野興業KK	西仲通	S051219
10	581〜586	6	S06日車本店		揮発油	紐育スタンダード石油会社	石油、糸崎	S060306
11	567〜572	6	S10浅野		〃	スタンダードヴァキューム石油会社	石油、安治川口	S100628
12	573、574	2	S10新潟		〃	横須賀海軍軍需部	田浦	S100424
13	575〜577	3	S10日車本店		〃	ライジングサン石油KK	石油	S101104
14	578、579	2	S11大阪		なし	横須賀海軍軍需部	田淵	S110326
15	580〜583	4	S12日車本店		揮発油	ライジングサン石油KK	武豊、鷹取、石油	S120524

し]・所有者は紐育スタンダード石油会社・常備駅は糸崎と石油(後の浜安善)駅であった。本形式初の日車製で、このため外観・構造は従来と異なり、長大なタンク体・車端に寄ったドーム・箱型をした繋ぎ板など特異なものとなった。

設計比重は0.73と小さくなり、タンク容積は27.5m³と拡大された。タンク材質は普通鋼・組立は鋲接で、寸法は長さ9,330mm×直径1,964mmと大型であった。ド

写真29
タサ500形525
KK新潟鉄工所提供

タサ525、526ロット4は昭和4年新潟製。外観・構造は同時期に製作されたロット3と酷似している。またタラ1形1、2ロット1(写真39〜41)とほぼ同時に製作されているので比較して欲しい。

写真30
タサ500形525
1968.8.17
P：堀井純一

写真29と同じ車輌の廃車1ヵ月前の姿である。タサ524(写真28)とは生まれ育ちが異なるが、縁は異なもので戦後は共に日石輸送KKの所有となった。

本車もタサ524と類似した更新を受けているが、運転関係標記板が無いことや、社紋・社名板はホーロー製のものを新設するなど細部は微妙に異なっている。

写真31
タサ500形番号不詳
(529〜536のいずれか)
『日車の車輌史』編集部提供

タサ529〜536ロット5は昭和4年日車本店製。
外観・構造は他に類のないもので、長大なタンク体をチ30500^{M44}形に似た台枠に搭載し、立体的な形状の繋ぎ板で固定している。またタサ500形で初めてタンク体側面に踏板が設置された。英字の入った社紋・社名の標記も珍しい。

ームは車体中心から2,090mmも偏っていた。タンク固定は片側6枚の箱型繋ぎ板による一体化方式であった。

台枠は横梁6本を持つ平型で、側梁は203×89mm・中梁と端梁は254×89mmチャンネルを使用し、他社製より側梁が太い。台枠長さ9,346mmは3軸タンク車で最大だが、軸距2,743mm×2は他車並である。車軸は12トン長軸、軸箱守はWガード式、ブレーキは片側+KD型空気であった。

戦時中は敵産管理法により接収され石油配給KK所有となったが、昭和24年3月スタンダードヴァキューム石油に返却された。昭和37年のエッソ・モービル分割ではタサ530，533，535，536の4輌がエッソ、他の4輌がモービル所有となった。ヨンサントウでは半数が廃車となり、モービル石油KK所有のタサ529，532は北海道内で昭和45年7月まで、エッソスタンダード石油KK所有のタサ530，535は船川港駅常備で昭和46年5月まで、それぞれ限定運用されていた。

タサ537，538は最初から欠番である。

■ロット6　番号539〜543　輌数5

昭和4年12月汽車東京製で、このロットも専用種別は[種別なし]である。汽車会社製の3軸タンク車は数が少なく、石油関連ではこの5輌とタサ600形ロット1の2輌、化成品ではタサ400形5輌に見られるのみである。

設計比重は0.73・タンク容積は27.5m³であった。タ

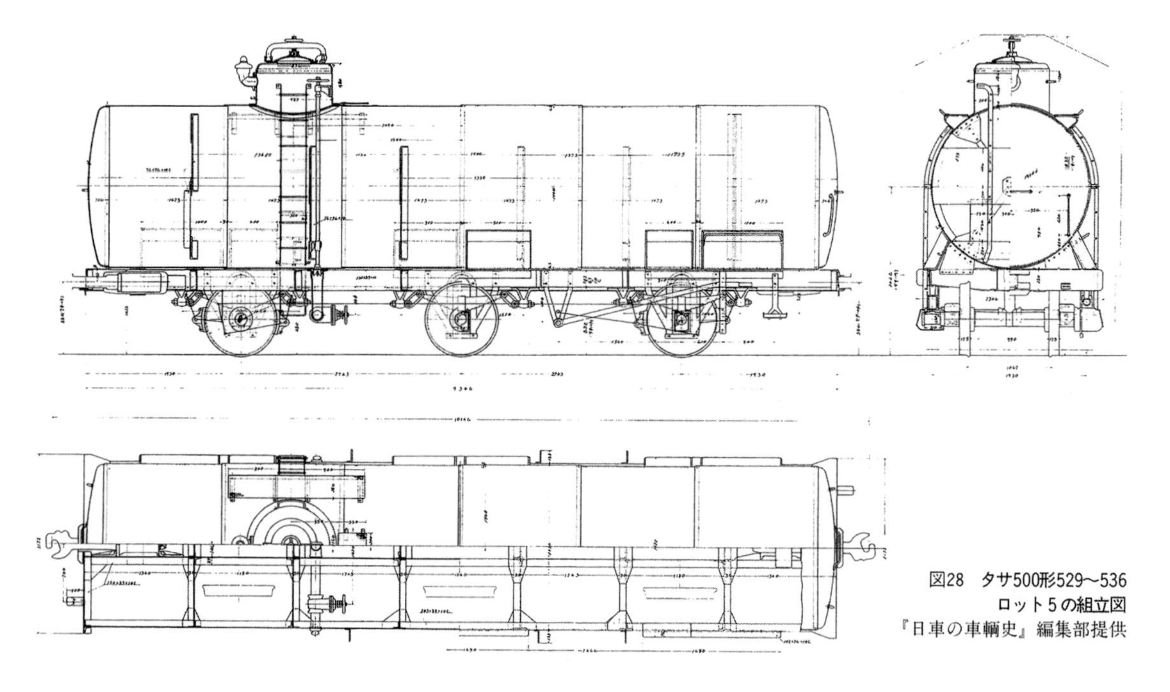

図28　タサ500形529〜536
ロット5の組立図
『日車の車輌史』編集部提供

写真32
タサ500形543
P：阿部貴幸所蔵

タサ539～543ロット６は昭和４年汽車東京製。
汽車会社の製品カタログに掲載されていた写真である。専用種別は重油で、タンク容積は25.0㎥と小さい。タサ500形で唯一の汽車製だが、外観・構造はタンク受台がいささか小型な点を除けば、整ったものとなった。

ンク体は鋲接組立て、寸法は長さ9,300㎜×直径1,870㎜であった。タンク固定はタサ500形で初めてセンタアンカ方式を採用した。

台枠は標準的な平型だが、長さは9,300㎜と長く、軸距2,850㎜×２はわが国３軸タンク車で最大であった。車軸は12トン長軸で、軸箱守には初めてプレス品が使用された。ブレーキは片側＋KD型空気であった。

落成時の所有者は三菱商事KK・常備駅は弁天橋駅であったが、昭和16年４月に石油共販KKに移籍された。タサ540，543の２輌は戦災廃車となり、残る３輌は三菱石油KKに返還されたが、541，542は昭和40年12月、539は昭和41年９月にそれぞれ廃車となった。

■ロット７　番号544～549　輌数６

昭和５年５月日車本店製で専用種別は揮発油・所有者は紐育スタンダード石油・常備駅は石油・糸崎であった。

設計比重は0.72・タンク容積27.7㎥であった。タンク体は鋲接組立て、板厚は胴板９㎜・鏡板12㎜とようやく現在並となり、タンク寸法は長さ8,540㎜×直径2,050㎜であった。タンク固定は前後二個所に分かれたセンタアンカ方式で、受台は小型で帯金下部にはターンバックルが設けられていた。

台枠は横梁６本を持つ平型で、側梁は150×75㎜・中梁と端梁は250×90㎜チャンネルをそれぞれ使用し、寸法は長さ8,560㎜・軸距2,740㎜×２であった。車軸は12トン長軸・担いバネは５種・軸箱守はプレス品で、

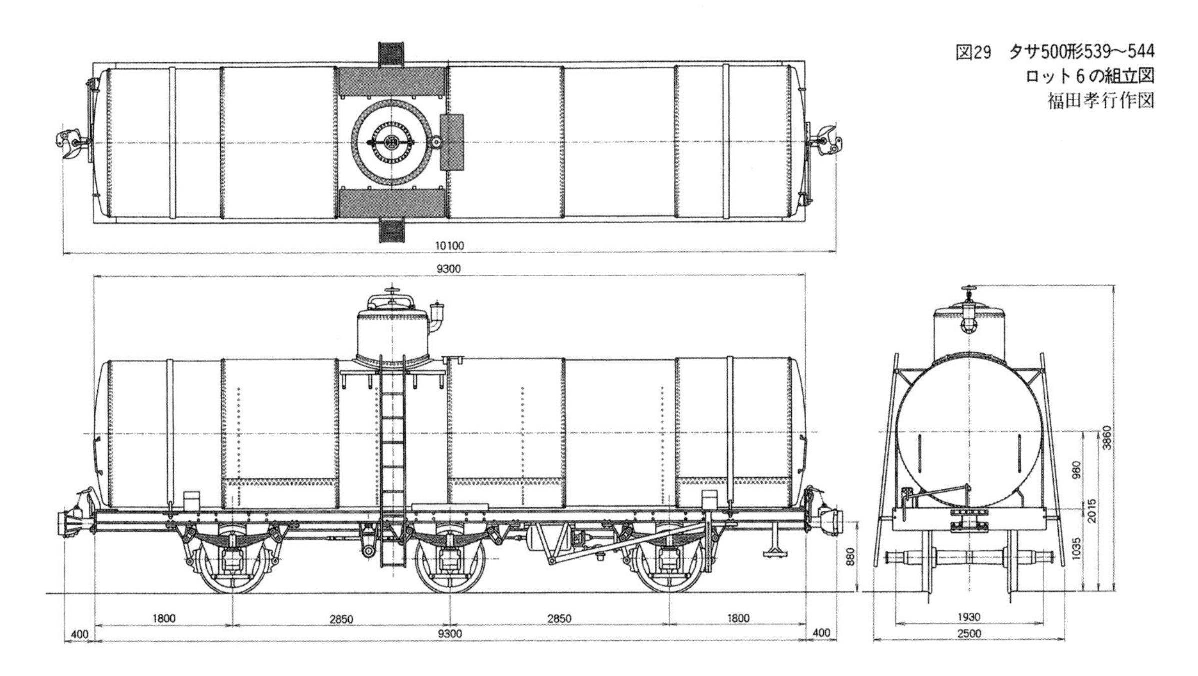

図29　タサ500形539～544
ロット６の組立図
福田孝行作図

写真33
タサ500形555
1970.8.29　土崎
P：堀井純一

タサ550～555ロット8は昭和5年浅野製で、日車製の544～549ロット7と競作された。
外観・構造はロット7と酷似する。写真はエッソスタンダード石油KK所有で、特定線区限定運用車として使用されていた最晩年のもので、社紋板に見られる足は、スタンダード時代の取付穴に合わせて取り付けたため生じたものである。

ブレーキは片側＋KD180型空気であった。

戦争中は敵産管理法による接収を受け、546～548は戦災廃車となった。残る3輌は戦後返還され、専用種別は石油類に変更された。昭和37年の分割では544, 549がエッソ・545はモービル所属となり、前者は昭和43年9月30日付で廃車されたが、後者は北海道内限定運用車となり、本輪西常備として昭和45年7月まで使用されていた。

■ロット8　番号550～555　輌数6

昭和5年8月浅野製の揮発油専用車で、所有者は紐育スタンダード石油・常備駅は石油・糸崎であった。初めての浅野造船所製3軸タンク車で、日車製の544～549ロット7と競作されたため、外観・構造はこれと同一であった。

戦中・戦後はロット7と同じ推移を辿り、昭和37年の分割以降は552, 554, 555がエッソ・他はモービル所属となった。前者のうち552, 554はヨンサントウで廃車されたが555は昭和46年5月まで秋田地区で限定使用されていた。後者は3輌全てが北海道内限定運用車となり、550は昭和44年12月、他の2輌は昭和45年7月に廃車となった。

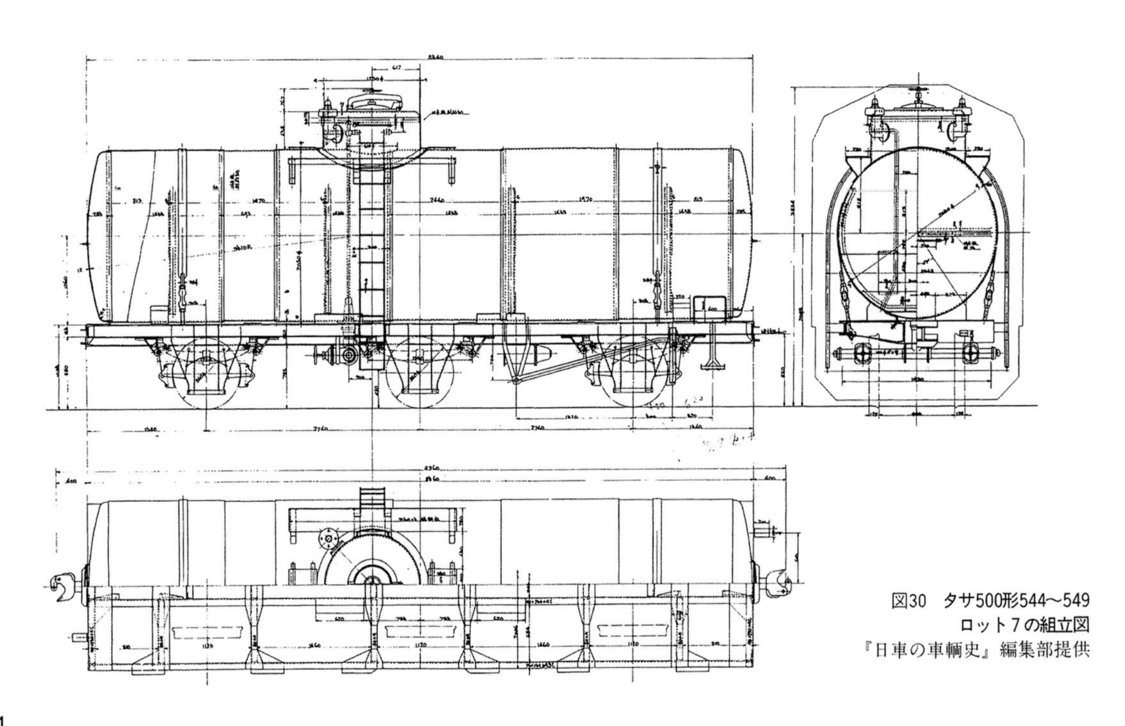

図30　タサ500形544～549
ロット7の組立図
『日車の車輌史』編集部提供

写真34
タサ500形558
1968.8.17
P：堀井純一

終戦１日前の昭和20年8月14日に行なわれた日本石油KK秋田製油所の爆撃は、わが国タンク車に最大の戦災被害をもたらした。タサ558も「中破」と記録されており、昭和21年２月にようやく復旧した。タンク体に見えるパッチは、爆撃による損傷を修理した跡で、被害の大きさが伺われる。

■ロット９　番号556～560　輌数５

昭和５年12月新潟製で、専用種別は[種別なし]・所有者は中野興業KK・常備駅は西仲通であった。新潟製の３軸タンク車としてはタラ１形３～12ロット２と32～41ロット４の中間に位置し、構造は両者を折衷したものであった。

石油類向のため設計比重は0.79・タンク容積25.4m³と小さく、タンク材質は普通鋼・組立は鋲接で、板厚は胴板８mm・鏡板10mmとロット７より薄い。タンク寸法は長さ7,820mm×直径2,052mmだが、全長に亘って底板を連続させた点が注目される。タンク固定はセンタアンカ方式で、タンク体と受台の間には木片が挟み込まれていた。

台枠は横梁６本付の平型で、側梁は150×75mm・中梁と端梁は250×90mmチャンネルを使用し、寸法は長さ8,100mm・軸距2,745mm×２であった。車軸は10トン長軸・担いバネは５種・軸箱守はプレス品・ブレーキは片側＋KD180型空気と、全て当時の標準仕様であった。

戦後は５輌揃って日本石油運送KK所有となり、専用種別は揮発油に変更された。ヨンサントウで558が廃車

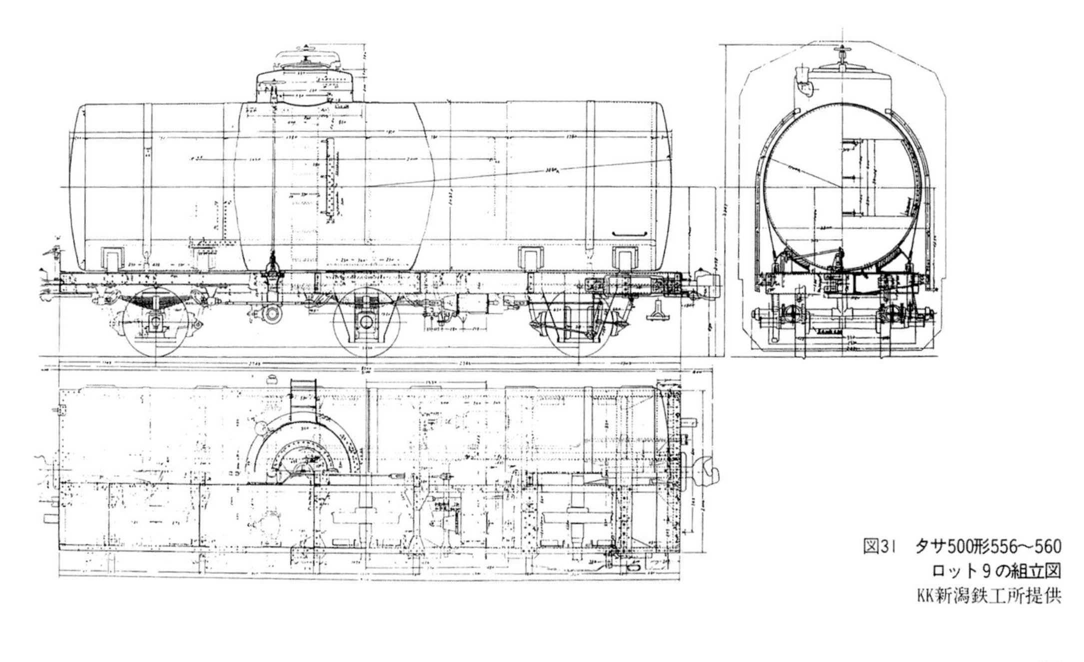

図31　タサ500形556～560
ロット９の組立図
KK新潟鉄工所提供

写真35
タサ500形571
P：堀井純一

昭和も10年代に入ると、タンク体も全溶接が標準となった。タンク体は長手方向に曲げた板を接合しているが、これは大型プレスの扱いに慣れた造船所特有の作り方である。なおタンク受台は2種類が併用されているが、落成時からこの姿であったかは不明である。

されたが、残る4輛は秋田地区の限定運用車となり、最後まで残った557は昭和46年9月に廃車となった。

■ロット10　番号561～566　輛数6

昭和6年6月日車本店製で専用種別は揮発油・所有者は紐育スタンダード石油・常備駅は石油・糸崎であった。

1年前に製作されたタサ544～549ロット7を増備したもので、タンク体は相変わらず鋲接だが板厚は胴板10㎜・鏡板13㎜と各1㎜厚くなり、一枚当たりの寸法も大きくなった。ドームは梯子と液出管の干渉を避けるため、車体中心寄に約150㎜移設されている。

戦中～戦後期はロット7と同じ推移を辿り、戦災で565が廃車とされた後、残る5輛は石油類専用となり、昭和37年の分割では561，562はエッソ、残る3輛はモービルの所有となった。ヨンサントウでは562，563が廃車されたが、561は本土内限定運用車として昭和45年9月、564，566は北海道内限定運用車として昭和45年7月まで残存していた。

■ロット11　番号567～572　輛数6

昭和10年6月浅野製で専用種別は揮発油・所有者は紐育スタンダード石油・常備駅は石油であった。

4年振りの増備で、タンク体はようやく全溶接とな

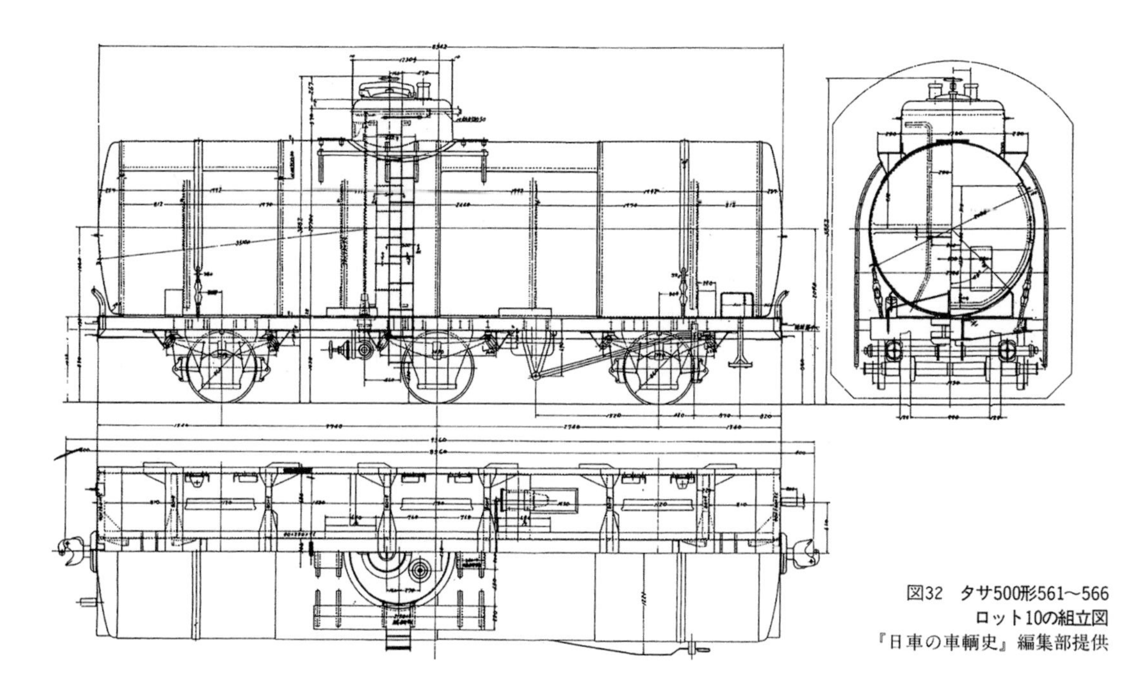

図32　タサ500形561～566
ロット10の組立図
『日車の車輌史』編集部提供

写真36
タサ500形574
KK新潟鉄工所提供

揮発油専用車で、タサ500形で唯一保冷キセを有するロットとして有名。外観・構造はタラ1形19トン車を大型化したものだが、タンク受台、帯金部分の処理、台枠の細部などは近代化されている。
海軍所有のタンク車は戦後米軍の接収を経て、大半は日本石油輸送KKに払い下げられた。

った。戦後は石油類専用となり、昭和37年の分割では567〜569はエッソ、残りはモービル所有となった。568はヨンサントウで廃車されたが、残る5輛は優秀車として残存し、最後まで残った570，571は昭和46年7月まで使用されていた。

■ロット12　番号573，574　輛数2

昭和10年4月新潟製で専用種別はガソリン、所有者は横須賀海軍軍需部・常備駅は田浦であった。

昭和6年新潟製のタラ1形32〜46ロット4・5を大型化したもので、設計比重は0.73・タンク容積は27.5㎥となった。タンク体は全溶接組立となり、寸法は長さ8,540㎜×直径2,050㎜で、周囲には遮熱のため厚さ50㎜のフェルトと薄鋼板製のキセを装備していた。またタンク受台への木片挿入は廃止された。

台枠は標準的な平型で、寸法は全長8,660㎜・軸距2,740㎜×2であった。バネ吊は新型となり、台枠のバネ吊取付部も補強され、担いバネも6種となった。

戦後は海軍所有車の通例として日本石油運送KK所有となり、ヨンサントウを控えた昭和43年9月30日付で廃車された。

■ロット13　番号575〜577　輛数3

昭和10年日車本店製で、専用種別は揮発油・所有者

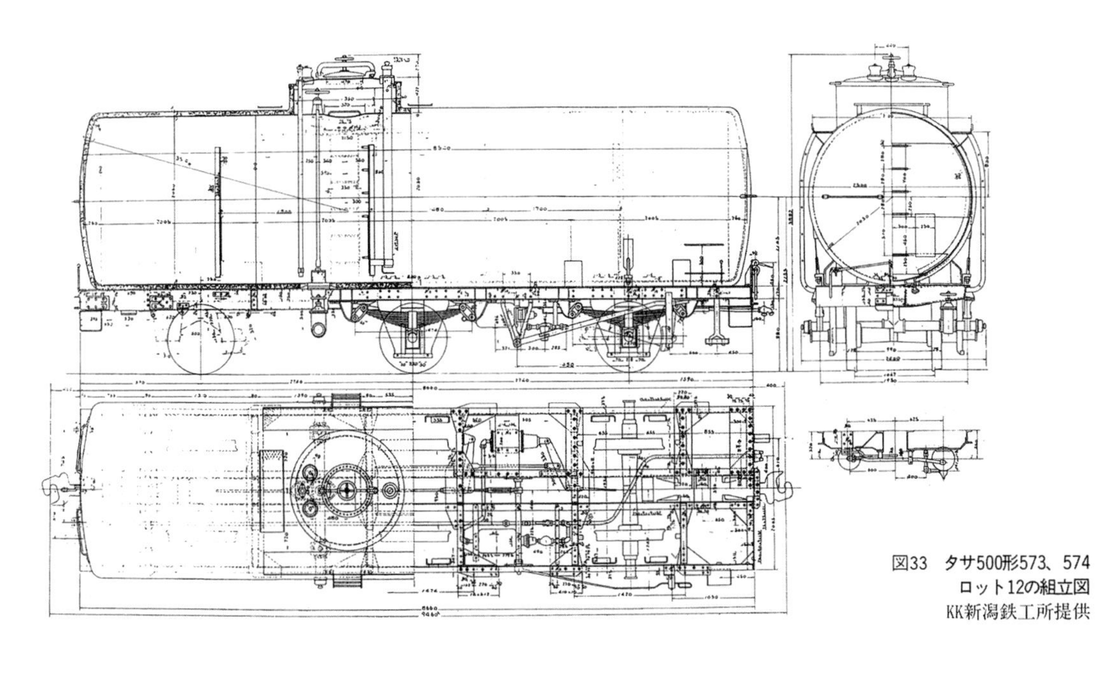

図33　タサ500形573、574
ロット12の組立図
KK新潟鉄工所提供

写真37
タサ500形576
1967.10　新鶴見操
P：遠藤文雄

タサ500形で初のライジングサン石油所有車で、揮発油専用車であった。
外資系の石油会社は外国のタンク車設計基準をわが国に持ち込む傾向があり、タンク受台への木片挿入、台枠側面への歩み板追加とタンク体周囲に手すり設置などは、明らかに米国のプラクティスを模倣したものである。

はライジングサン石油KK・常備駅は石油であった。

設計比重は0.73・タンク容積28.0㎥で、タンク体は普通鋼の全溶接組立となり、板厚は胴板10㎜・鏡板13㎜とタサ561～566[ロット10]と同様に厚い。タンク寸法は長さ8,562㎜×直径2,070㎜で、ドームは直径2,000㎜と太くなり、項部にあるマンホールには独特なカバーが設置された。タンク固定は中梁のセンタアンカ２ヶ所に加え、タンク体中央部で台枠側梁と繋ぎ板により結合されている。タンク受台は鋳鋼製と思われる変わった形のもので、タンク体との間には木材が挟み込まれていた。

台枠は溶接を多用した平型で、寸法は長さ8,580㎜・軸距2,750㎜×２であった。本ロットの特徴として台枠上に設置された歩み板があり、これに呼応してタンク体周囲には手摺が設けられた。装備品は12トン長軸・６種担いバネなど当代標準のものであった。

戦争中は敵産管理法により接収されたが、戦後は一時期日本原油輸送KKなどの使用を経て、昭和24年３月に本来の持主であるシェル石油KKに返還され、その後ヨンサントウを控えた昭和43年７月に３輌同時に廃車された。

なお類縁車として、昭和11年日車本店で台湾向けに製作された重油専用車[図36]があった。図面で判るように高比重のため小柄なタンク体と、短軸の採用により

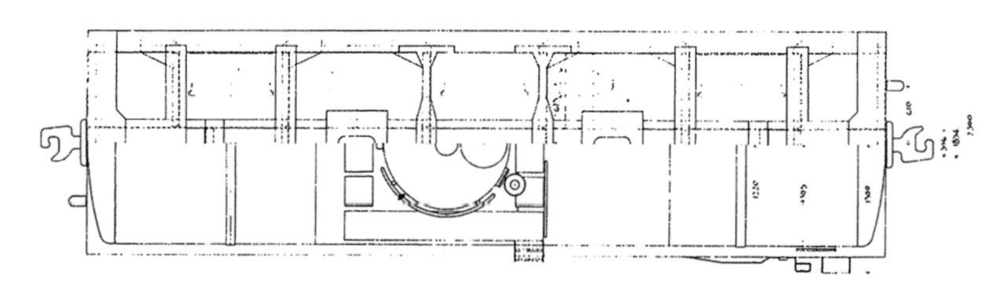

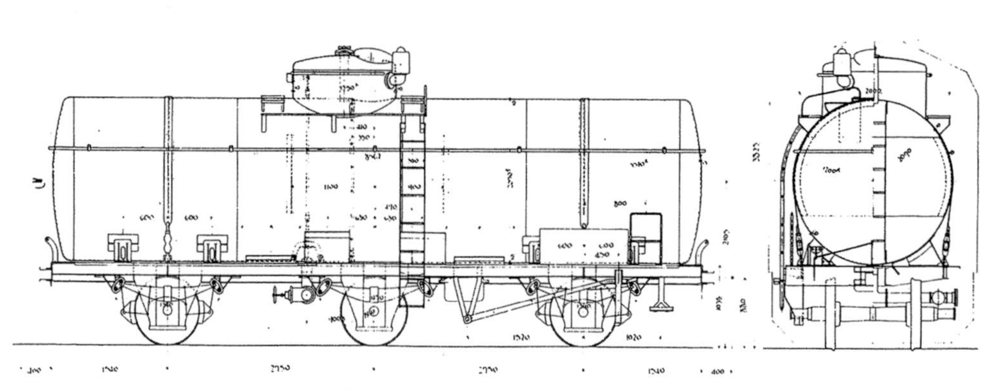

図34　タサ500形575～577
ロット13の組立図
『日車の車輌史』編集部提供

写真38
タサ500形ロット15のものと思われる据置タンク体
P：宮坂達也

わが国最後の3軸タンク車のタンク体と思われる据置タンク。タンク受台と接する面積の差からロット15と推定される。

幅の狭い台枠、これにより幅の狭くなったタンク受台、中心高さ900㎜の下作用自連などが内地向タンク車との相違点であった。

■ロット14　番号578，579　輌数2

昭和11年3月大阪製で専用種別は[種別なし]・所有者は横須賀海軍軍需部・常備駅は田浦であった。写真・図面が残されていないため、外観・構造は不明である。578は戦災廃車となり、戦後唯一残った579は、日本石油運送KKに移籍し、昭和43年9月30日付で廃車となった。

■ロット15　番号580～583　輌数4

昭和12年5月日車本店製で、専用種別は揮発油・所有者はライジングサン石油KK・常備駅は武豊・鷹取・石油であった。わが国で最後に新製された3軸タンク車で、スタイルもそれに相応しい近代的なものであった。

外観・構造は2年前に製作されたタサ575～577ロット13のマイナーチェンジ版で、相違点はタンク手摺・タンク受台形状など僅かである。戦中期は敵産管理法による接収を受け、軍により使用されていたが582，583は戦災廃車となり、戦後580，581はシェル石油KK所有車として復活したが、昭和43年7月に廃車となった。

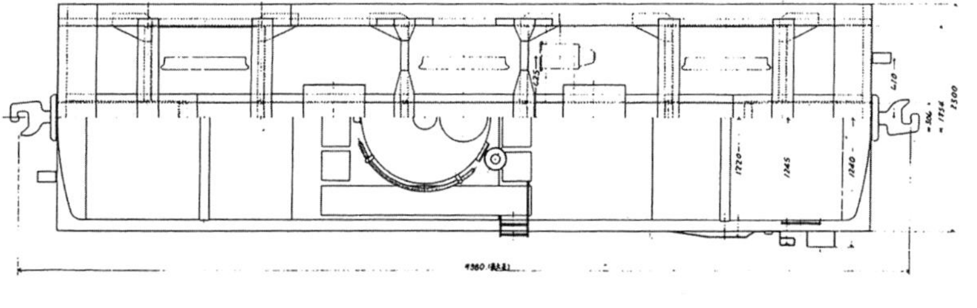

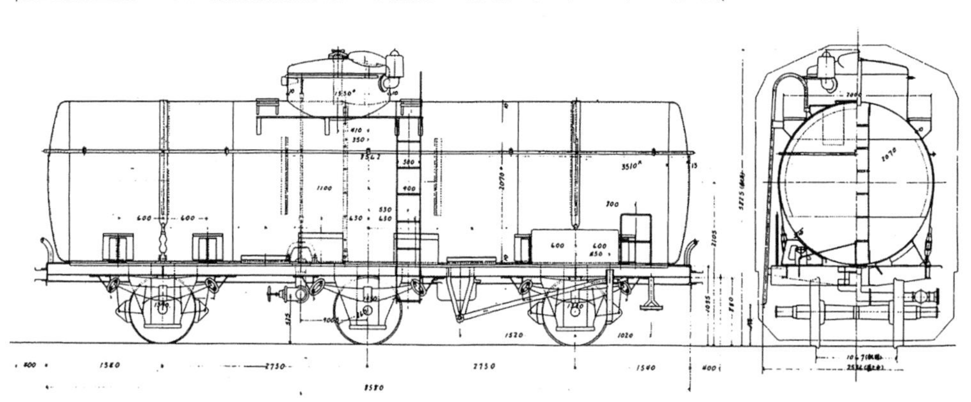

図35　タサ500形580～583
ロット15の組立図
『日車の車輌史』編集部提供

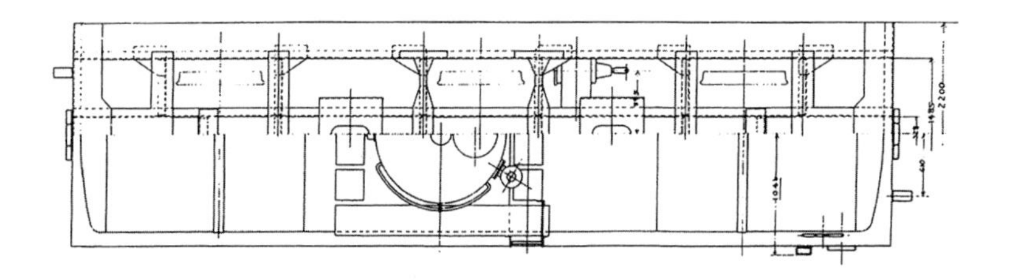

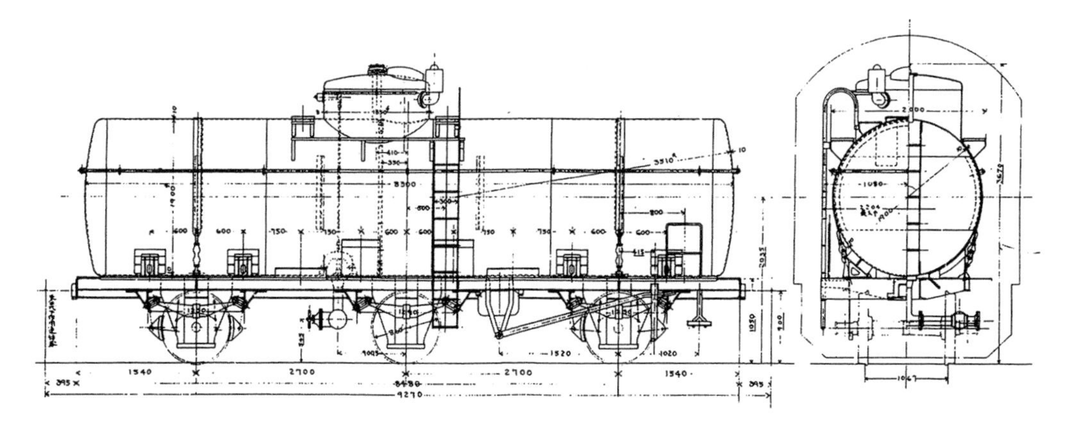

図36　台湾向20トン積重油専用タンク車の組立図
『日車の車輌史』編集部提供

貨車ひとくちメモ　ヨンサントウとは

「ヨンサントウ」とは昭和43年10月に施行された貨物列車スピードアップのことで、本土・九州内の貨物列車の最高運転速度を65km/hから75km/hへ向上した。走行性能の劣る３軸車は、ワサ１形など一部を除いて「スピードアップ不適格車」とされ、昭和43年９月30日までに除籍されることになったが、ヨンサントウ以降も本州・九州の一部支線区と北海道内の貨物列車は65km/hのまま据え置かれたため、これら区域内での限定運用に限り残置が認められた。こうして国鉄の３軸車ではチ500形49輌・チサ100形488輌・チサ1600形16輌の３形式が北海道内限定運用車として残された。私有貨車では本州・九州内の特定線区で使用する「本土内限定運用車」としてタサ500形12輌・タサ600形12輌・タサ1100形６輌の４形式33輌が残されたが、昭和50年を最後に姿を消した。なおこれらの車輌には65km/h制限車を示す黄帯が塗装されると共に、本土内限定運用車には符号「ロ」と運転区間の標記が、北海道内限定運用車には符号「回」と「道外禁止」の文字が標記されていた。

貨車ひとくちメモ　石油会社名の変更

わが国の石油会社各社は複雑な経歴を辿っており、社名の変遷を辿るものでも容易ではない。
そこでここでは本書を読み解くのに必要な最低限の知識を記しておく。

■昭和石油KK(S1708)　新津石油KK・旭石油KK・早山石油KKの合併により成立。
■石油共販KK(S1602)　国策共同販売会社として、外資系以外のタンク車は大半が移籍。
戦後は原則として元の所有者に戻された。
社名変遷は石油共販KK→石油配給統制KK(S1706)→石油配給KK
■大協石油KK(S1409)　山岸製油所・斎藤製油所、他６社合同により発足。
■帝国石油KK(S1609)　国策原油採掘会社として設立、日本石油KK日本・鉱業KK・中野興業KKのタンク車の一部が移籍。
■日本石油KK　寶田石油KKを合併(T1010)・小倉石油KK（小倉石油店を改組(T1404)）を合併(S1606)
■日本石油輸送KK　国策石油保有管理機関として共同企業KK発足(S1604)
帝国石油KKからタンク車を譲り受け国産原油の輸送開始(S1912)
日本原油輸送KKとなる(S2104)→日本石油運送KK(S2301)→日本石油輸送KK(S3206)
■紐育スタンダード石油会社　社名変遷は紐育スタンダード石油会社→ソコニーヴァキュームコーポレーション(S0708)
→スタンダードヴァキューム石油会社(S0902)→敵産管理法により接収(S1612)
戦後スタンダードヴァキューム石油会社として再発足
エッソスタンダード石油KKとモービル石油に分割(S3701)
■三菱商事KK（燃料部）　戦後は三菱石油KKに統合。
■ライジングサン石油KK　敵産管理法により接収(S1612)
戦後シェル石油KKとして再発足。

タラ１形

タラ１形は19トン積の揮発油専用車で、なんとも半端な荷重は20トン積の[種別なし]タンク車に低比重のガソリンを積んだことに起因する。大正時代はガソリン専用車の比率が低く、汎用車に積載することが広く行われており、運賃低減のため荷重を減らす場合もあった。形式単位で初めて揮発油専用となった３軸車は昭和３年製の19トン車であるア27570^{M44}形で、昭和３年の大改番では誤ってタサ500形に改番されたため、その後増備された車輛がタラ１形の元祖である。なおタサ500形となったア27570^{M44}形は、後に本形式に改番・併合されている。

表３　タラ１形のロット表

ロット	番号	輛数	製造	旧番号	所有者	常備駅	編入時期
1	1、2	2	S04新潟		中野興業KK	新津	S040715
2	3～12	10	S05新潟		〃	西仲通及関屋	S050711～S050910
3	13～31	19	(S02新潟)	タサ504～522	日本石油KK	石油、柏崎	S060212改番
4	32～41	10	S06新潟		〃	石油、柏崎	S060603
5	42～46	5	〃		中野興業KK	西仲通及関屋	S060413

写真39
タラ１形２
KK新潟鉄工所提供

タサ500形525、526ロット４(写真29)の１ヵ月後に製作されたため、構造はこれに準じるが、揮発油専用車としたタンク周囲は保冷キセを装備していた。一見溶接のように見えるタンク体は実は保冷キセで、中に隠された真のタンク体は鋲接である。

写真40
タラ１形１
1953.12　浜川崎
P：園田正雄

戦後撮影されたタラ１形トップナンバーの写真。保冷キセは残っているが、所有者は出光興産KKに移籍した。

三角内に「SＩ」とあるのが出光の社紋だが、出光の所有車の殆どは、同社製ガソリンの商標であった「アポロ」マークを掲示していた。

写真41
タラ1形2
1963.3.26　稲沢
P：小寺康正

写真39と同一車輌を34年後に撮影した写真。タンク周囲にあった保冷キセが撤去されたため、鋲接のタンク体が露出した。このため外観的には全く別物の車輌のように見える。
外観・構造はタサ500形523～526ロット3、4と酷似するが、ドーム周囲に見られるツバが、かつてキセが存在したことを示す痕跡となっている。

■ロット1　番号1，2　輌数2

昭和4年7月新潟製で、所有者は中野興業KK・常備駅は新津であった。外観・構造はア27570^{M44}形に類似し、タンク体は鋲接構造で、ドームは小型であった。落成時は写真39のようにタンク体周囲に保冷用のキセがあったが、戦後、写真41の通り撤去されている。

所有者は石油配給KKを経て出光興産KKとなったが、昭和43年8月に2輌同時に廃車された。

■ロット2　番号3～12　輌数10

昭和5年5月新潟製で、所有者は中野興業KK・常備駅は西仲通及関屋駅であった。

ロット1から約1年後の製作で、構造は大きく進歩した。設計比重は0.79・タンク容積は25.2m^3で、タンク体が普通鋼製の鋲接組立なのはロット1と同様である。タンク寸法は長さ7,800mm×直径2,062mmで、ドームは直径1,260mmと大幅に太くなった。タンク固定はセンタアンカ方式となり、帯金はタンク両端と中央の合計3箇所に設けられた。台枠は標準的な平型で、長さ8,350mm・軸距2,745mm×2である。車軸は12トン長軸で、軸箱守はプレス物に改良された。ブレーキは片側＋KD型空気を装備していた。所有者は石油配給KKを経て、戦後は5社に分割され、このうちタラ3，9，10はヨンサントウ以降も生き延びたが、最後まで残った9，10も昭和47年9月に廃車となった。

■ロット3　番号13～31　輌数19

昭和6年2月にタサ500形504～522$^{\text{ロット2}}$を荷重変更

写真42
タラ1形9
1971.9.16　本輪西
P：堀井純一

タラ1、2ロット1とは僅か1年しか隔たっていないが、外観・構造は大きく進歩し、ドーム容積は揮発油に相応しく拡大され、タンク固定はセンタアンカ方式に、軸箱守はプレス品にそれぞれ改良された。またロット1と同様に、落成時装備されていた保冷キセは、後天的改造により撤去されている。

写真43
タラ1形14
『日車の車輌史』編集部提供

タラ13～41ロット3は昭和6年にタサ500形504～522ロット2（昭和3年新潟製）を荷重変更した車輌で、写真のタラ14はタサ505を改番したものである。
写真は戦後、更新修繕を受けた際のもので、タンク踏板が新設され、梯子廻りも変更された。運転関係標記板も新設されている。
なお写真のタラ14は、昭和28年にタサ600形636ロット9に改造されている。

により改番したもの。種車は昭和3年新潟製で、登場時はア27570M44形であった。詳細については同形式の項を参照せよ。

所有者は日本石油KK・常備駅は石油・柏崎で、戦中・戦後の多難な時期を揮発油専用車として活躍した。タラ28は昭和20年代前半に除籍されたが、残る18輌は、昭和28年飯野で20トン積石油類専用車であるタサ600形635～652ロット9に改造された。

■ロット4　番号32～41　輌数10

昭和6年6月新潟製で、所有者は日本石油KK・常備駅は石油、柏崎であった。

外観・構造はタラ3～12ロット2に酷似し、相違点は保冷キセが省略されたドーム項部と、受台とタンク体の間に断熱のため木材（図面では楢と記入されている）を挟んだことなど少数である。落成時は保冷のためタンク体周囲にフェルト50㎜からなる断熱材と薄鋼板製のキセを装備していたが、戦後改造により撤去された。その後の異動はタラ13～31ロット3と同じ推移を辿り、昭和28年5月飯野でタサ600形653～662ロット9に改造された。

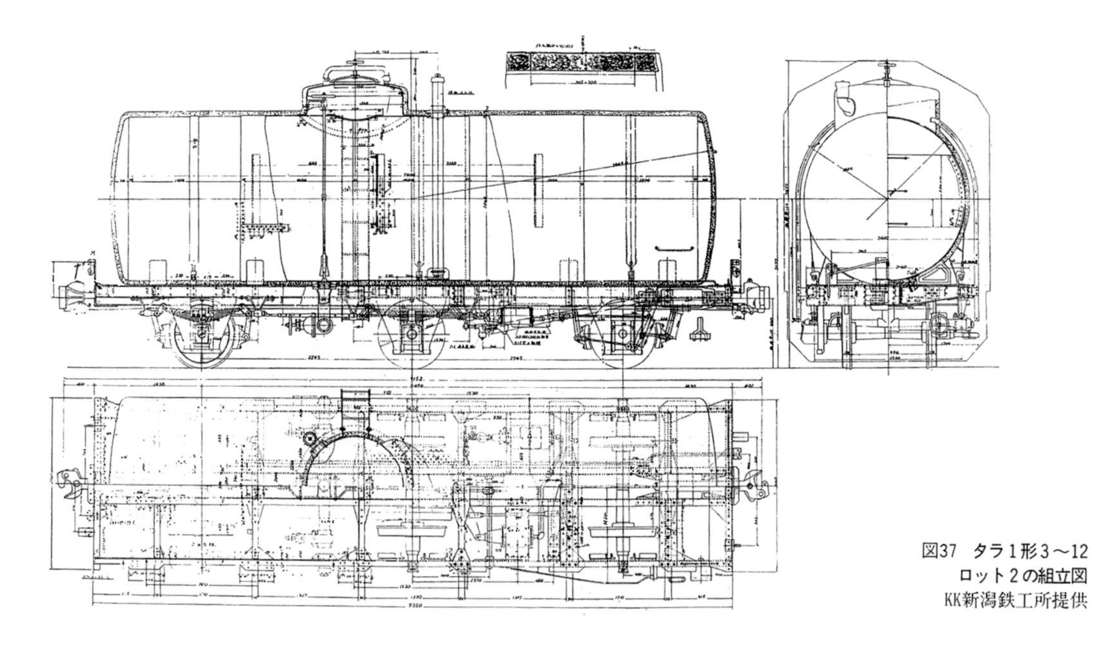

図37　タラ1形3～12
ロット2の組立図
KK新潟鉄工所提供

写真44
タラ1形39
KK新潟鉄工所提供

日本石油KKの所有車で、外観・構造はタラ3～12ロット2をマイナーチェンジしたものである。台枠から突き出した板は、人力入換の際、肩で押しやすくするため設けられた「肩押板」である。

■ロット5　番号42～46　輌数5

昭和6年4月新潟製で、所有者は中野興業KK・常備駅は西仲通及関屋であった。タラ1形の最終ロットで、これ以降の増備は、20トン積のタサ500形に移行している。

日本石油KK向のタラ32～41ロット4と同一図面に基づいて製作され、外観・構造は同一である。所有者は石油配給KKを経て、戦後は日本石油輸送KK・出光興産KK・日本鉱業KK・日本石油KKの4社に分割された。ヨンサントウで大半は廃車されたが、唯一43は北海道内限定運用車として昭和47年9月まで使用されていた。

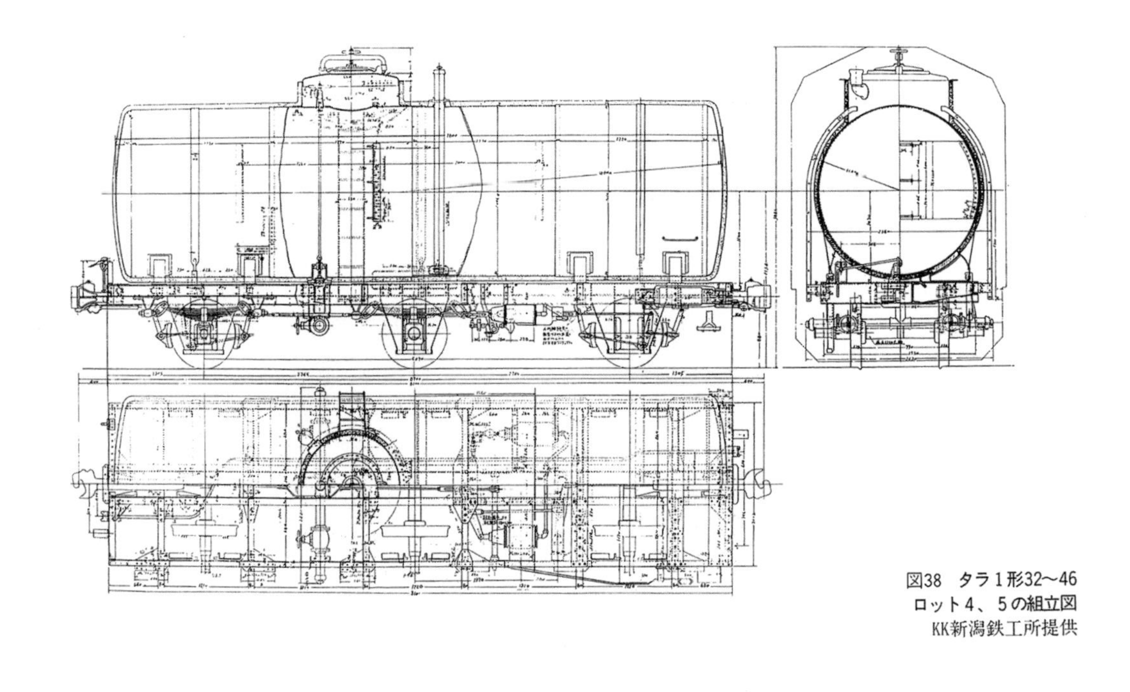

図38　タラ1形32～46
ロット4、5の組立図
KK新潟鉄工所提供

写真45
タラ1形46
KK新潟鉄工所提供

日本石油KK向けのタラ32～41ロット4と同時に製作された。良く考えれば荷重19トンと半端な数字に固執する理由はなく、その後ガソリン専用車の増備は20トン積のタサ500形に移行したため、タラ1形は約2年間の製作に終わっている。

写真46
タラ1形43
1970.8.21　新苫小牧
P：堀井純一

戦後ロット5はロット2と同様、石油元売り各社に分割され、42が日本石油輸送KK、43は出光興産KK、44、45は日本石油KKと、4社の所有となった。

写真47
タラ1形44
1960.11.27
P：久保　敏

非公式側の写真。他に例のない二分割型のタンク踏板は、後天的改造により追加されたもので、元からある梯子を活かしたため左右に分割されている点が珍しい。運転関係・検査関係標記板も、キセの撤去により新設されたものである。

タラ100形

タラ１形の解説でも述べたように、タサ１形を19トン積揮発油専用車として使用することは、大正時代から行われてきた。当時の称号規程では荷重記号がなく、同一形式内に19トン積と20トン積が混在しても問題はなかったが、昭和３年の大改番以降は荷重記号が異なることから、これを区別するため新形式としてタラ100形が起こされた。

■ロット１　番号100～108　輌数９

昭和２～３年の大改番以前に19トン積揮発油専用車として使用されていたタサ１形150～152，154，163，174～177の９輌を、昭和５年12月に改番したもの。所有者はライジングサン石油KK・常備駅は石油であった。種車は全て旧ア27320^{M44}形だが、104までの５輌は大正12年川崎製・105以降は昭和２年日車製で、後者はタサ１形で唯一長軸を使用していた。外観・構造はタサ１時代と同様である。このうちタラ106～108の３輌は改番後、僅か19日間で、原番号であるタサ１形175～177に復元された。残る６輌は開戦による接収を経て、戦後はシェル石油KK所有としてタラ100形のまま使用されたが、昭和36年から43年７月にかけて廃車となった。

■ロット２　番号109～130　輌数22

昭和４年１月にタサ１形のまま19トン積揮発油専用となっていたタサ１形84～100，199～203の22輌を、昭和６年２月に改番したもの。種車は100までが旧ア27000^{M44}形・199以降は旧ア27550^{M44}形であった。

外観・構造はタサ１形時代と変わらない。その後、タサ700形ボギー車が増備されるにつれ、タラ109～118の10輌は昭和12年５月、タラ119～130の12輌は昭和14年５月にそれぞれタサ１形の原番号に復元され、ロット２は消滅した。

写真48
タラ100形101
P：鈴木靖人

タラ100形の写真は珍しいもののひとつである。
写真のタラ101は昭和５年にタサ151から専用種別変更された車輌。大正12年川崎製のグループに属し、外観・構造は種車時代と変わらない。

タラ200形

タサ500形のうち、大正15年３月に日本製鋼所で20トン積クレオソート専用車として製作されたタサ503(旧ア27373)を、昭和８年８月重油に専用種別変更したもの。種車は高比重のクレオソート積載用で、タンク容積が18.9m³と小さかったため、重油が17トンしか積載出来ず新形式となった。所有者は北海木材防腐KKで変化ないが、常備駅はタサ503時代の輪西から臨港に異動した。その後、昭和15年12月にクレオソート専用車に戻されることになり、タサ500形503(原番号)に復元され、本形式は形式消滅した。

外観・構造はタサ500形時代と同一と推定されるが、写真・図面が残されていないため、実態は不明である。

タサ600形

タサ600形とタサ500形の違いは何か。

困ったことに明確ではない。タサ600形の第１号車は昭和７年製の原油専用車で、当初はタサ500形より高比重の積荷の車輌が本形式に類別されたようだが、むしろタサ１形の近代化後継車と言った方が判り易いかもしれない。

■ロット１　番号600，601　輌数２

昭和７年７月汽車東京製で、専用種別は原油・所有者は三井物産KK・常備駅は桜島であった。外観・構造は昭和４年に汽車で製作されたタサ500形539～543 ロット6 に酷似するが、全体として一回り小型である。設計比重は0.88と大きく、タンク容積は23.4㎥と小さい。タンク体は普通鋼製の鋲接組立て、寸法は長さ8,600mm×直径1,890mmであった。タンク固定はセンタアンカ方式で、独特な形状の受台とタンク体の間には硬木が挟み込まれていた。台枠は平型で長さ8,700mm・軸距2,750mm×２、車軸は10トン長軸で走り装置は長一段リンク式・担いバネは第５種・ブレーキ装置は片側＋KD型空気と、当時としては標準的な構造であった。

所有者は昭和16年に石油共販KKに移籍後、戦後は石油配給KKを経て日本鉱業KK所有となり、昭和41年11月の共同石油KK設立により同社所有となったが、ヨンサントウを控えた昭和43年9月30日付で２輌揃って廃車となった。

■ロット２　番号602～611　輌数10

昭和10年２月日車本店製で、専用種別は原油・所有者は中野鉱業KK・常備駅は羽後平沢であった。全体として均整の取れた近代的な外観で、タンク体は全溶接となり、寸法は長さ8,482mm×直径1,936mm、タンク固定はセンタアンカ方式であった。台枠は標準的な平型で、寸法は長さ8,560mm・軸距2,740mm×２、車軸は10トン長軸であった。

表４　タサ600形のロット表

ロット	番号	輌数	製造	旧番号	所有者	常備駅	編入時期
1	600、601	2	S07汽車東京		三井物産KK	桜島	S070705
2	602～611	10	S10日車本店		中野興業KK	羽後平沢	S100215
3	612～614	3	S10新潟		〃	〃	S100227
4	615	1	〃		斎藤製油所	関屋	S100322
5	616～620	5	〃		KK山岸商会	羽後平沢	S100323
6	621～630	10	S10大阪		日本鉱業KK	羽後牛島	S110128
7	631～633	3	S11新潟		新津製油所	羽後平沢	S111009
8	634	1	S22不明改造	戦災復旧車	日本陸運産業KK	羽後牛島	S22----改造
9	635～652	18	S28飯野改造		日本石油KK	安治川口他	S280509改造
10	653～662	10	〃		〃	〃	〃

写真49　タサ600形600
1962.10.15　沼垂
P：豊永泰太郎

汽車会社がタンク車製造に参加したのは比較的新しく、３軸タンク車もタサ400、500、600形を少数製造したに過ぎない。
写真は昭和37年の撮影で、日本鉱業KK製のトレードマークであったカクタス（サボテン）を懐かしく思われる方も多いだろう。タンク体端部にはもとの蛇の目マークを消した跡が見られる。

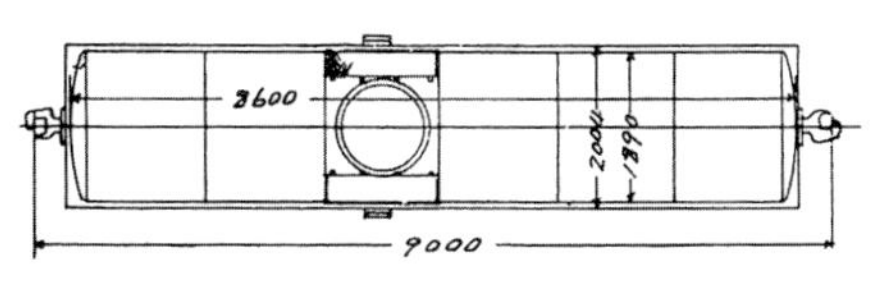

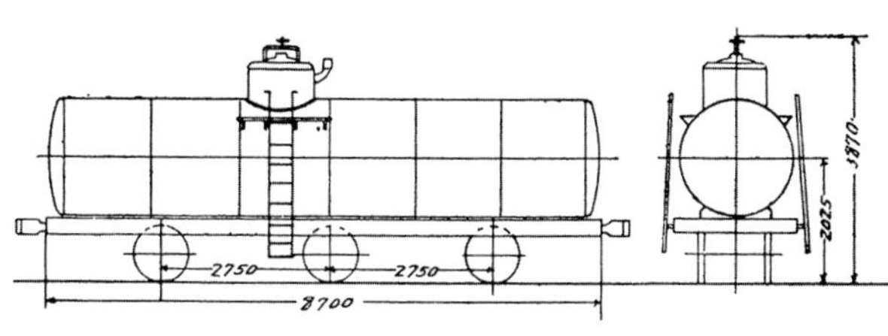

図39　タサ600形600、601
ロット１の形式図
貨車形式図（昭和４年）

写真50
タサ600形601
1954.2　浜川崎
P：園田正雄

タサ600、601ロット1は昭和7年汽車東京製。
タサ600形で唯一の鋲接タンク体をもつ車輌である。タンク体との間に木材を挟み込んだ受台は、当時のタンク車には広く見られるが、汽車製の受台は、タム100形などに似た独特のスタイルのものであった。

写真51
タサ600形602
1971.9.16　本輪西
P：堀井純一

タサ602〜611ロット2は昭和10年日車本店製。
わが国3軸タンク車としては最終期に製作されたタンク車の一つで、全溶接となったタンク体や、片側4個づつの小型の受台など、近代的な外観を有していた。

写真52
タサ600形609
1973.11.27　浜釧路
P：堀井純一

除籍後、浜釧路で据置タンク体として使用されていた頃の写真である。なお20トン積ベンゾール専用車であるタサ1100形(戦後編に掲載)は、本形式のタンク体を一回り細くした兄弟形式である。

写真53
タサ600形614
1963.5.26　大原
P：吉野　仁

タサ612〜614ロット3は昭和10年新潟製。
日車製のロット2と競作されたもので、全体構造は良く似ているが、こちらの方がややずんぐりしている。新潟製としてはタサ500形573、574ロット12の2ヵ月前に製作され、タンク受台や台枠補強は両者類似しているが、バネ吊り受は古いタイプを使用している。

国内産原油の輸送用として活躍し、所有者は帝国石油KK→共同企業KK→日本原油運送KK→日本石油運送KK→日本石油輸送KKと変遷した。603, 608, 610, 611の4輌はヨンサントウで廃車されたが、残り6輌は北海道内限定運用車となり、昭和48年5〜11月まで使用された。

■ロット3　番号612〜614　輌数3

昭和10年2月新潟製で、専用種別は原油・所有者は中野興業KK・常備駅は羽後平沢であった。日車製のタサ602〜611ロット2と競作されたもので、新潟製では初のタサ600形である。設計比重は0.82・タンク容積は24.4㎥であった。

タンク体は普通鋼を溶接により組み立てたもので、寸法は長さ7,950㎜×直径2,005㎜、タンク固定はセンタアンカ方式であった。台枠は標準的な平型で、寸法は長さ8,340㎜・軸距2,745㎜×2、車軸は10トン長軸であった。

所有者はタサ602〜611ロット2と同じ変遷を辿り、612は昭和41年11月に廃車され、残る2輌もヨンサントウを機会に姿を消した。

■ロット4　番号615　輌数1

昭和10年3月新潟製で、専用種別は原油・所有者は斉藤製油所・常備駅は関屋であった。タサ612〜614ロット3と同じ図面により製作され、外観・構造はこれと

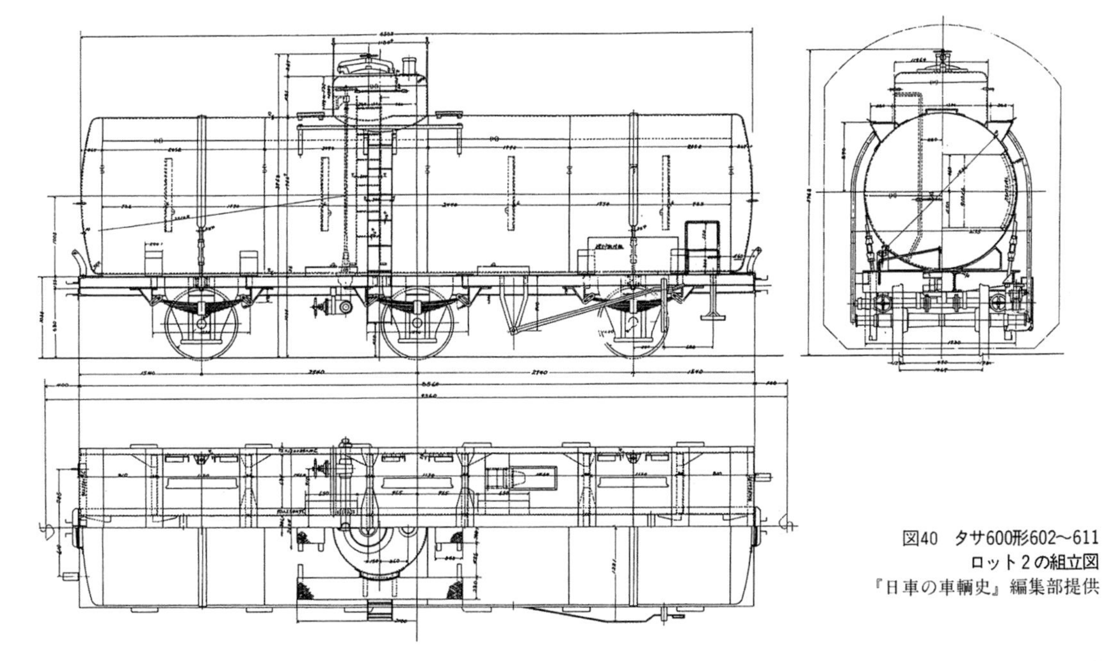

図40　タサ600形602〜611
ロット2の組立図
『日車の車輌史』編集部提供

写真54
タサ600形617
1962.1.15　米原
P：小寺康正

タサ616〜620ロット５は昭和10年新潟製。
ロット５の特徴である底板が連続した構造のタンク体がはっきり判る。タンク梯子の台枠以下が切断され、その代わりステップが設置されている点や、横二列に並んだブレーキ手すりは、他に例のない形態である。またタンク体の数ヵ所に見えるパッチは戦災による被災を復旧したものである。

同様であった。

昭和15年の製油所統合により大協石油KKの一員となり、戦争による石油共販・石油配給への移籍を経て、戦後は再び大協石油KKに復帰した。四日市地区で使用されていたが、ヨンサントウで北海道内限定運用車となり、本輪西駅を基地として昭和45年６月まで使用された。

■ロット５　番号616〜620　輌数５

昭和10年３月新潟製で、専用種別は原油・所有者はKK山岸商会・常備駅は羽後平沢であった。このロットもタサ612〜614ロット３と同一図面に基づいて製作されている。

車歴はタサ615ロット４と同じ推移を辿ったが、616は戦災廃車となった。残る４輌は大協石油KK所有・四日市常備として活躍したが、ヨンサントウ以降は北海道内限定運用車となり、617は昭和46年12月、他の３輌は昭和47年10月頃にそれぞれ廃車となった。

■ロット６　番号621〜630　輌数10

昭和11年３月大阪製で、専用種別は原油・所有者は日本鉱業KK・常備駅は羽後牛島であった。残念ながら写真・図面が未発見のため、外観・構造は不明である。

昭和18年４月に帝国石油KKに移籍され、戦後は日本石油運送KKの所有となり、専用種別も石油類に変更された。沼垂・秋田港などに配置されていたが、10輌全

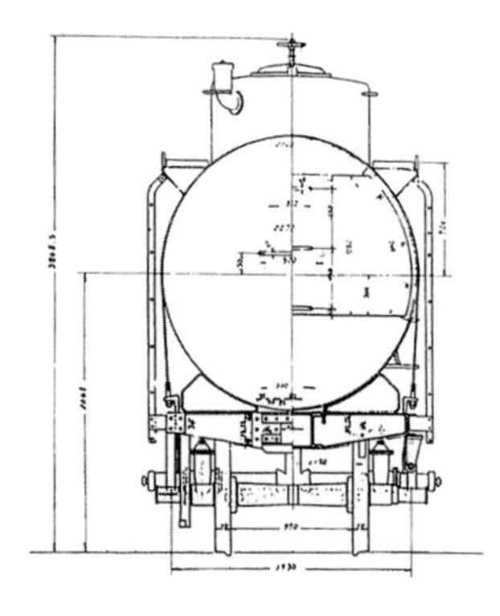

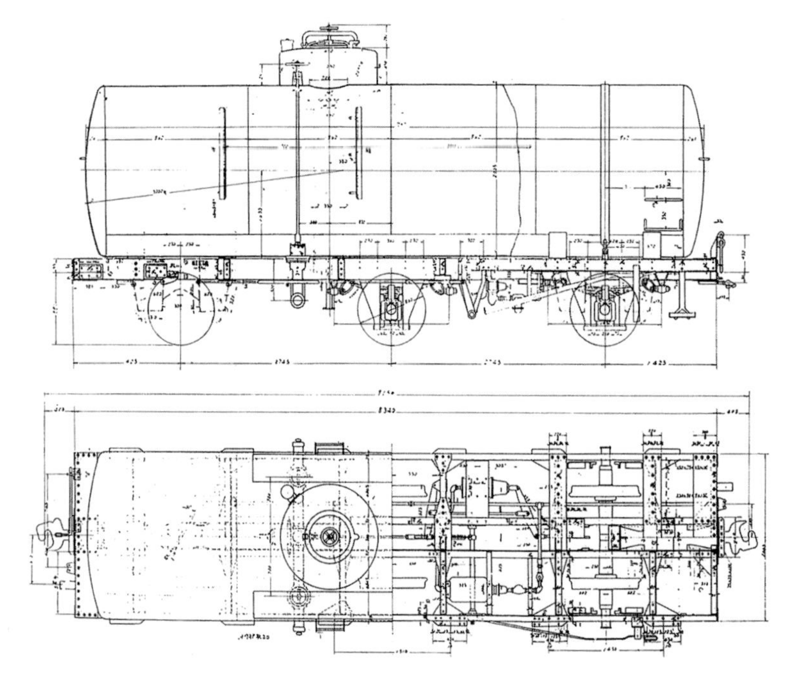

図41　タサ600形611〜620
ロット４〜６の組立図
KK新潟鉄工所提供

写真55
タサ600形620
1970.8.25　東室蘭
P：川喜多新太郎

写真54と同じロット5の写真だが、北海道内限定運用車となった晩年の姿を示す。ブレーキ手すりはタサ617と異なり、標準的なタイプに交換されているが、タンク梯子は相変わらず特異な型となっている。

部が昭和43年9月30日付で廃車となった。

■ロット7　番号631～633　輌数3

わが国3軸タンク車では最後期に製作された車輌の一つであり、昭和11年10月新潟製で、専用種別は原油・所有者は新津製油所・常備駅は羽後平沢であった。

全溶接のタンク体は長さ8,150mm×直径1,980mmと前作のタサ612～620[ロット3～5]より25mm細く、かつ200mm長くなった。台枠は全長8,500mm・軸距2,745mm×2と、同様に160mm延長された。バネ吊り受も新型となった。

戦前の製油所統合で昭和14年に新津石油KK・昭和17年に昭和石油KKとなり、戦後もそのまま新潟地区で使用されていたが、昭和43年9月30日付で全車車籍除外となった。

■ロット8　番号634　輌数1

昭和22年に戦災3軸タンク車を利用して製作された戦災復旧車。写真・図面が残されていないため、外観・構造は判らない。所有者は日本陸運産業KK・常備駅は羽後牛島であった。昭和25年4月ゼネラル物産KKに移籍し、全国各地で使用されたが、昭和40年11月に廃車となった。

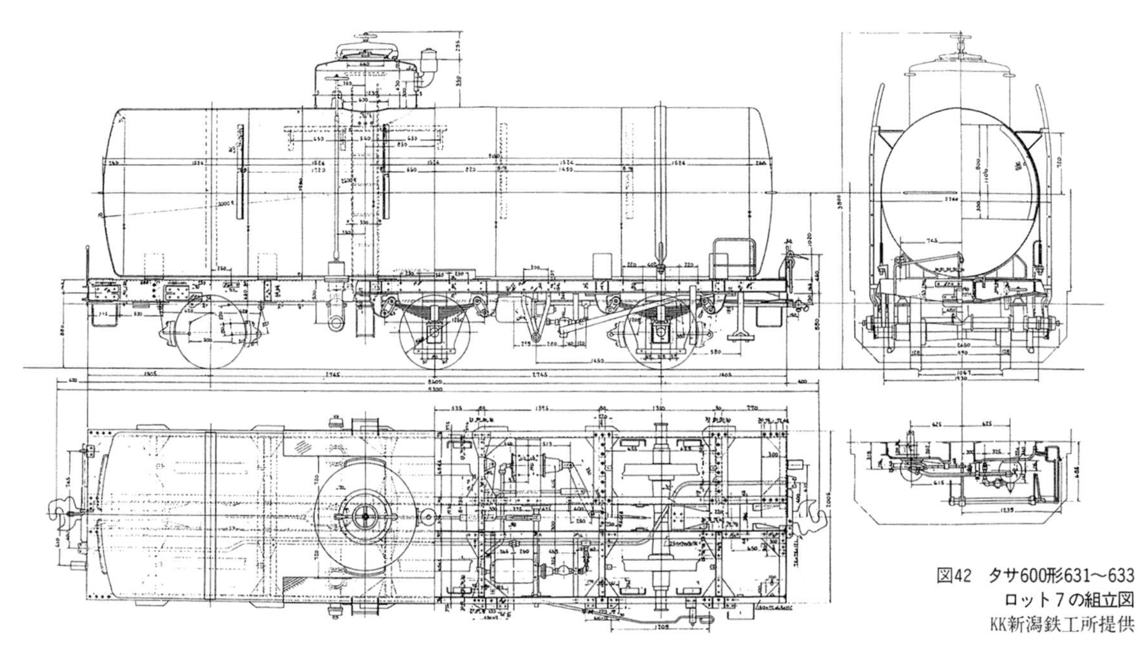

図42　タサ600形631～633
ロット7の組立図
KK新潟鉄工所提供

写真56
タサ600形651
1968.2　鶴崎
P：葛　英一

タサ635～652ロット9は昭和28年飯野でタラ1形13～27、29～31ロット3を改造したもので、タサ651の種車はタラ30であった。
改造で追加された蒸気加熱用の配管がはっきり判る。またタンク鏡板と台枠を固定する繋ぎ板のうち左側が撤去されている。タンク踏板部はタラ時代に更新されたものだが、社紋板と社名板はホーロー製のものが新設され、台枠には航送用フック掛が追加されるなど細部に変更が見られる。

写真57
タサ600形656
P：堀井純一

タサ653～662ロット10は昭和28年飯野でタラ1形32～41ロット4を改造したもの。
写真のタサ656はタラ35の改造車で、タラ1形改造車28輛のうち、ヨンサントウ以降で唯一残った車輌であった。兄弟車のタラ43、44の晩年の写真(写真46、47)と見比べて欲しい。

■ロット9　番号635～652　輌数18

昭和28年5月飯野でタラ1形13～27，29～31[ロット3]を改造したもの。種車は19トン積ガソリン専用車で、改造ではタンク内部に加熱管を、車端部に地上設備との接続配管をそれぞれ設置した。所有者は日本石油KKで、常備駅は本輪西から下松まで全国に分布していたが、昭和41年5月から廃車が始まり、ヨンサントウまでに全車廃車となった。

■ロット10　番号653～662　輌数10

昭和28年5月飯野でタラ1形32～41[ロット4]を改造したもので、改造内容はタサ635～652[ロット9]と同一だが、種車のロットが異なるため外観・構造は相違していた。

所有者は日本石油KKで、常備駅は安治川口他5駅であった。昭和43年9月30日付で9輌が廃車となり、唯一656が北海道内限定運用車として残ったが、これも昭和46年8月に廃車となった。

最後に

下巻では、濃硫酸・カセイソーダ液・液化アンモニア専用車などの化成品タンク車をはじめ、太平洋戦争決戦貨車として大量生産されたトキ900形とその改造車たち、3軸車の復権を目指して試作されたワサ1形有蓋車、そしてわが国唯一の存在の連接3軸貨車であったク9100形などについて紹介する。また私鉄買収貨車や私鉄の3軸貨車、そして事業用3軸貨車についても筆を進め、わが国3軸貨車の全貌を紹介することにしたい。

はじめに

『3軸貨車の誕生と終焉』（戦前編）に続く戦中・戦後編では、濃硫酸・カセイソーダ液・液化アンモニア専用車などの化成品タンク車をスタートに、太平洋戦争決戦貨車として大量生産されたトキ900形とその改造車たちについて紹介する。続いて貨車近代化時代に3軸車の復権を担って試作されたワサ1形有蓋車、わが国唯一の連節3軸貨車であったク9100形などについて解説する。

さらに私鉄から買収した3軸貨車や事業用3軸貨車についても筆を進めることにしよう。

異色の電機EB10が活躍した国鉄・須賀貨物線の列車は、トレーラーも異色。機関車の次位には、希硝酸専用3軸タンク車タム5500形が連結されている。
1956.3.31　王子〜須賀　P：渡辺一策

タサ1100形

タサ1100形は20トン積ベンゾール専用車で、昭和10年４月に1100～1105の６輌が日車本店で製作された。所有者は日本製鉄KK・常備駅は東室蘭であった。

積荷のベンゾールは石炭化学工業の主要製品で、大正３年からタンク車輸送されてきた。昭和４年にはタサ1000形20トン積ボギー車が製作されており、ボギー車の出現後に３軸車が新規形式として起されたのは珍しいことであった。

設計比重は0.88・タンク容積は22.8㎥で、全体構造は２ヶ月前に製作されたタサ600形602～611[ロット２]と酷似している。タンク体は普通鋼を溶接で組立てたもので、寸法は長さ8,476㎜×直径1,868㎜であった。ドームは直径1,868㎜×高さ475㎜で、安全弁はドーム上に２個設置されていた。

タンク受台は小型のものが８個あり、タンク固定はセンタアンカ方式だが、センタアンカは横梁を避けるため、左右２箇所に分割されている。

台枠は３軸車では標準的な平型で、側梁は150×75㎜・中梁は250×90㎜チャンネルをそれぞれ使用し、全長8,560㎜・軸距2,740㎜×２であった。車軸は12トン長軸・走り装置は長一段リンク式・ブレーキ装置は片側＋KD型空気と、当時では標準的な装備であった。

所有者は企業分割により富士製鉄KK、再統合により新日本製鉄KKと変遷したが、配置は一貫して東室蘭であった。ヨンサントウ改正では北海道内限定運用車となり、1104、1105は昭和49年９月、残る４輌も昭和50年２月にそれぞれ車籍除外となったが、その後も構内輸送用のタンク車として使用されていたようである。

写真１
タサ1100形1100
1974.7.25　東室蘭
P：吉岡心平

タサ1100形は昭和10年日車本店製で、６輌同時に製作された。戦前編で紹介したタサ600形602～611(ロット２)の弟分で、タンク体が68㎜細い他は外観・構造共に酷似している。

写真は北海道内限定運用車として黄帯を巻いた後の姿で、廃車半年前にようやくキャッチしたものである。

写真２
タサ1100形1101
P：堀井純一

タサ1100形はわが国の３軸タンク車では最後期に製作された車輌の一つで、全溶接のタンク体や近代的なばね吊り受など、現代でも通用する構造となっている。

写真は昭和45年頃の撮影で、所有者が富士製鉄KKだった時代のものである。

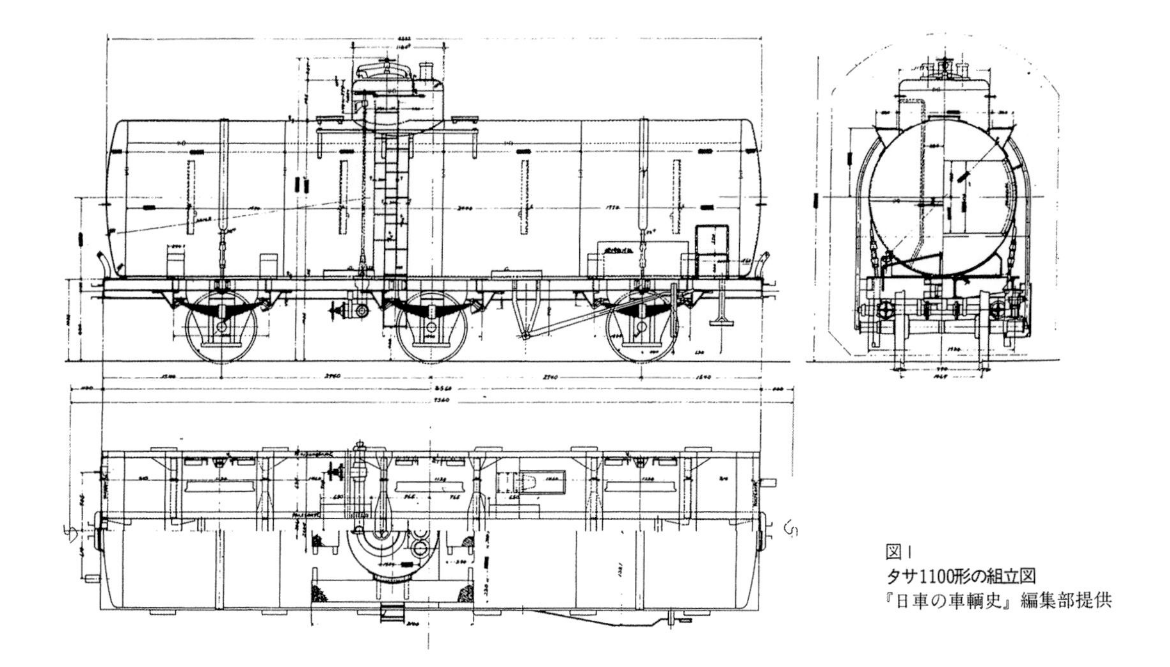

図1
タサ1100形の組立図
『日車の車輌史』編集部提供

タサ400形

タサ400形は20トン積希硫酸およびリン酸専用車で、タサ2000形初代・タキ2500形初代と共に、昭和初期に大日本人造肥料KKが製作した3軸車トリオの一員である。新製車と他形式からの改造車とがあり、7ロットに分類することが出来る。

■ロット1　番号400　輛数1

昭和4年9月日車本店製で、所有者は大日本人造肥料KK・常備駅は伏木であった。3軸車トリオの中では他車より半年早く製作されており、試作的要素の強いロットであった。

積荷はリン鉱石に濃硫酸を作用させて作られる比重約1.5の腐食性液体で、高度化成肥料の原料として使用される。鉄鋼を腐食するため、タンク内面は鉛などの耐蝕材料で被覆する必要がある。

タンク体は普通鋼を鋲接で組立てたもので、内面には鉛板（B.H.A.S12ボンド材）がライニングされていた。このためタンク内側には沈頭鋲を使用し、継目は段差をなくすため通常の重ね合せとせず、外面に当板を用いた突き当てとし、内面接合部には電気溶接を施

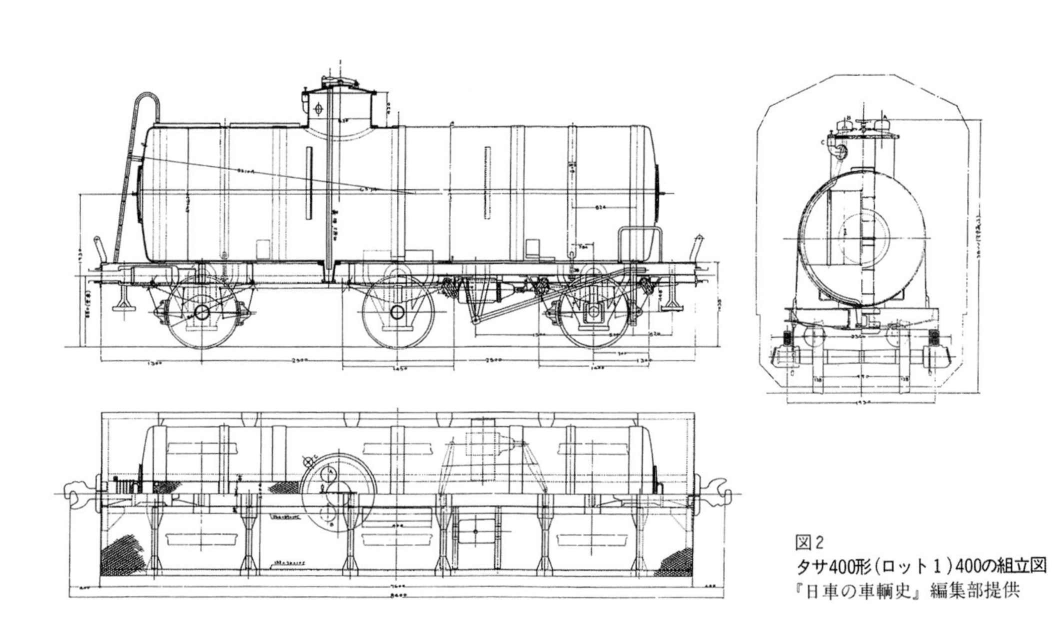

図2
タサ400形（ロット1）400の組立図
『日車の車輌史』編集部提供

表1　タサ400形のロット表

ロット	番号	輌数	製造	旧番号	所有者	常備駅	編入時期
1	400	1	S04日車本店		大日本人造肥料KK	伏木	S040903
2	401～405	5	S05汽車東京		〃	〃	S050414～S050505
3	406～408	3	S05日車本店		〃	速星	S050201
4	409,410	2	S05日車本店改造	タサ2004、2005	〃	伏木	S050606
5	411	1	S06〃	タサ2003	〃	〃	S060221改造
6	412	1	S10不明改造	タ1702	〃	〃	S101022改造
7	413	1	S15〃	タ1701	日産化学工業KK	〃	S150520改造

していた。タンク寸法は長さ6,574mm×直径1,620mmで、前後の鏡板にはライニング作業に用いるための作業口があり、ドーム項部とドーム胴部との結合はフランジにより締結され、ドーム項部は取り外し可能な構造となっていた。荷役方式は空気圧による上出し方式で、液出管と空気管はドーム項部に配置されている。タンク固定はセンタアンカ方式で、タンク受台は図面では判りにくいが、タンク直下4箇所に600×200mmの木（楢）製受台が配置されていた。

台枠は横梁6本を持つ平型で、側梁は152×76mm・中梁は254×89mmチャンネルを各々使用し、全長7,600mm・軸距2,500mm×2であった。車軸は12トン長軸・走り装置は長一段リンク式で、ブレーキ装置は片側＋KD型空気であった。

写真3
タサ400形401
1967　田端操
P：遠藤文雄

タサ401（ロット2）は昭和5年汽車東京製で、タンク接合部の当板とその上に並んだ4列のリベットは、内面の凹凸を避けるため、板同士を突き当て接合にするためであった。

写真に見えるタンク踏板と梯子廻りは、後天的改造により追加されたものである。

写真4
タサ400形402のタンク体
1976.8.2
P：梶山正文

廃車後、据置タンクとして使用されていたタサ402（ロット2）のタンク体。タンク下部にある液溜部の形態がはっきり判る。

またタンク中途にあるパイプが挟んである突起は、タンク体を保守する際、ジャッキアップするポイントである。

所有者は昭和12年5月日本化学工業KK→同年12月日産化学工業KK→昭和18年6月日本鉱業KK、戦後は再び日産化学工業KKと変遷したが、これらは全て社名変更によるものであった。戦後も老骨に鞭打って働いていたが、昭和43年9月30日付で廃車となっている。

■ロット2　番号401～405　輌数5

昭和5年4～5月汽車東京製で、タサ400ロット1の使用実績を踏まえて製作された量産車である。

外観・構造はロット1に準ずるが、寸法はタンク体が長さ6,580mm×直径1,630mm、台枠は全長7,700mm・軸距2,400mm×2と微妙に異なっていた。またタンク受台の位置も、より一般的な位置に変更された。

タサ403、404は昭和14年1月にタム5500形16トン積希硝酸専用車の5500、5501に改造されたが、残る3輌はロット1と同じ推移を辿り、ヨンサントウで廃車となった。

■ロット3　番号406～408　輌数3

昭和5年2月日車本店製で、汽車製のタサ401～405ロット2と競作された。主要寸法はタサ400ロット1と同一だが、液出管の径が拡大され、これに伴いドーム項部の管配置が変更された。タンク受台も左右から支持するものが追加されている。

タサ406は昭和14年1月タム5500形5502に改造されたが、残る2輌はヨンサントウまで生き延びた。

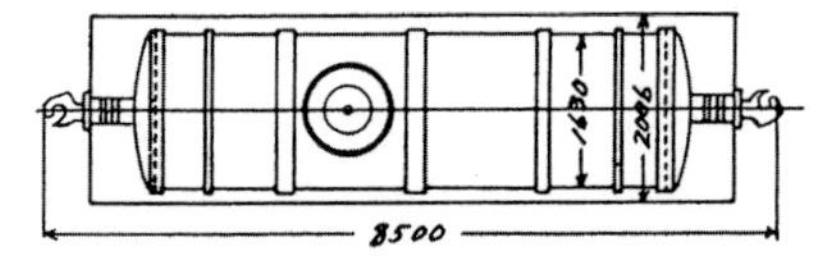

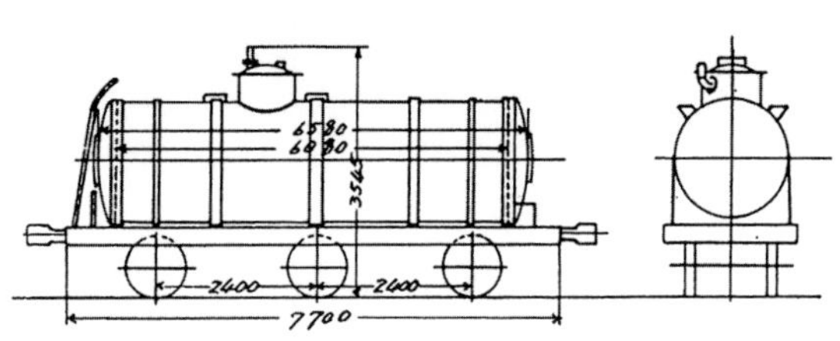

図3　タサ400形401～405(ロット2)の形式図
貨車形式図(昭和4年)

■ロット4～7　番号409～413　輌数5

他形式からの改造車で、表2に示す通りタサ409、410ロット4と411ロット5はタサ2000形初代24トン積濃硫酸専用車から、タサ412ロット6と413ロット7はタ1700形12トン積アンモニア水専用車からそれぞれ改造された。タ1700形はタサ2000形初代の改造車なので、結局すべてがタサ2000形の末裔と言うことが出来よう。

昭和5年6月日車本店でタサ2004、2005から改造されたタサ409、410ロット4については、改造図面が残されていた。

これにより改造点を解説すれば、まずタンク内面すべてに鉛ライニングを施した。改造によりタンク寸法は長さ6,578mm×直径1,620mmとなり、鏡板には作業口

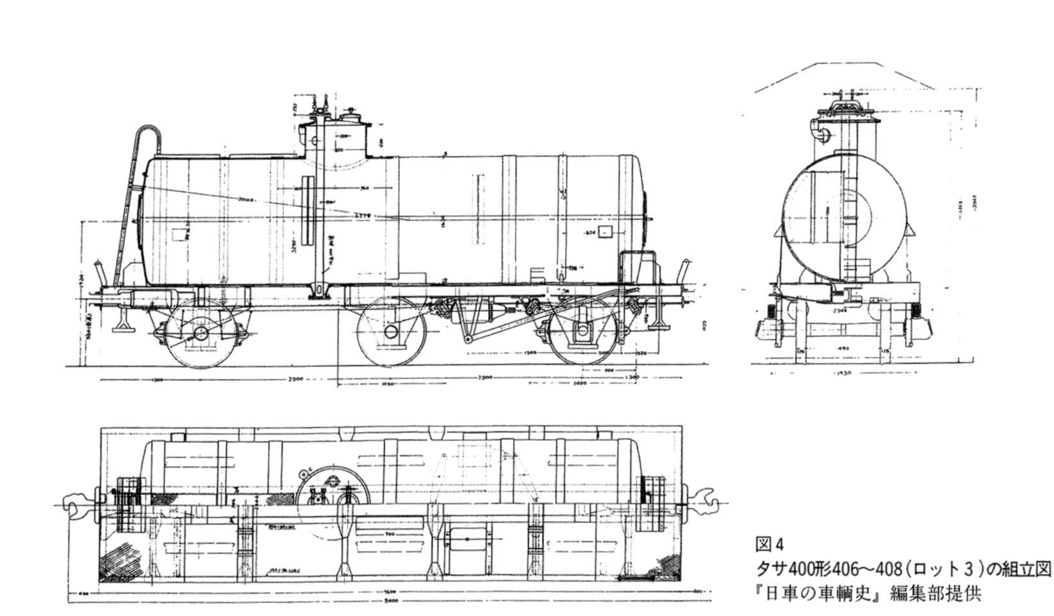

図4
タサ400形406～408(ロット3)の組立図
『日車の車輌史』編集部提供

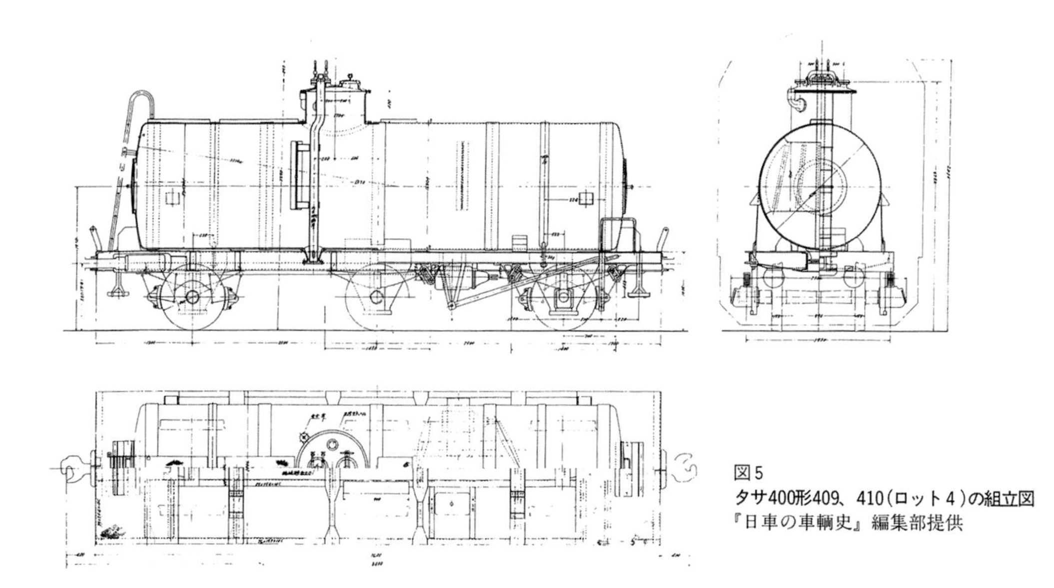

図5
タサ400形409、410（ロット4）の組立図
『日車の車輌史』編集部提供

が追加された。荷役配管は種車のものをすべて撤去し、空気管と鉛製の液出管を新設したが、タサ2000形初代はドームの位置がタサ400形より155㎜車体中央寄に位置していたため、液出管はそれに合せてタンク内部で湾曲させた。ドーム項板はタサ406～408ロット3と同じものを新製している。タンク受台と台枠以下は種車のものをそのまま流用した。

タサ411ロット5と412ロット6の改造内容も、ほぼ同様であったと推定されるが、タサ413ロット7は種車が雨宮製作所製のため、外観・構造や主要寸法は他と異なっていた模様である。

タサ410は昭和14年1月タム5500形5503に改造され、残る4輌はヨンサントウ前夜の昭和43年9月30日付で廃車となった。

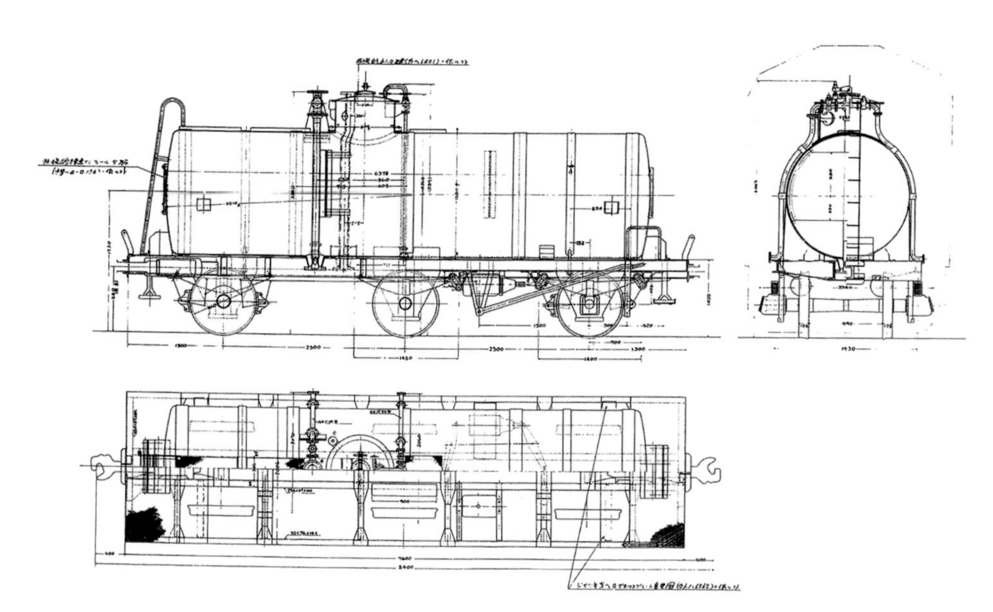

図6
タサ2000形初代2002～2005（ロット2）の組立図
『日車の車輌史』編集部提供

タサ2000形[初代]

タサ2000形[初代]は昭和５年に製作された24トン積濃硫酸専用車。落成時の所有者は大日本人造肥料KK・常備駅は速星で、タサ400形・タキ2500形[初代]と共に、大日本人造肥料KKが製作した３軸車トリオの一員である。

メーカーにより２ロットに分類されるが、いずれも短期間で他形式に改造されたため、残された資料は極めて少ない。なお過去の資料では、昭和22年製の20トン積揮発油専用車であるタサ2000形[二代]と混同しているものが多いので注意して欲しい。

■ロット１　番号2000、2001　輌数２

昭和５年２月に2000、2001の２輌が雨宮製作所で製作された。軽便蒸機では有名な雨宮も、タンク車の製造例は極めて稀で、他にはタ1450形13トン積アンモニア水専用車が知られている程度である。外観・構造は改造後の形式であるタ1700形の図面から想像するしかないが、これによればタンク寸法は長さ6,578㎜×直径1,620㎜で、車体中央にはタンク体と台枠側梁を結合する繋ぎ板があるが、タンク受台の配置は不明である。液出管・空気管はS字管で車体両側に導かれていた。

台枠寸法は全長7,600㎜・軸距2,400㎜×２であった。

昭和５年10月にタ1700形12トン積アンモニア水専用車の1700、1701に改造され、このロットは消滅した。

■ロット２　番号2002～2005　輌数４

昭和５年２月日車本店製で、雨宮製のタサ2000、2001[ロット1]と競作された。

全体構造は、同時期に同一メーカーで製作されたタサ400形406～408[ロット3]に準拠しているが、積荷の相違からタンク内面は地肌のままであった。荷役装置の構造も異なり、液出管・空気管はS字管で車体両側に導かれていた。これに伴いドームの位置も車体中央寄りに位置していた。

タンク受台や台枠以下の構造はタサ406～408[ロット3]と同一であった。

タサ2004、2005は昭和５年６月にタサ400形409、10に、2002は同年10月にタ1700形1702に、最後に残った2003も昭和６年２月にタサ400形411に改造され、本形式は形式消滅した。落成後僅か一年の命であった。

タ1700形

タ1700形は12トン積アンモニア水専用車で、昭和５年10月に1700～1702の３輌がタサ2000形[初代]2000～2002から改造された。所有者は大日本人造肥料KK・常備駅は速星であった。

積荷のアンモニア水は、水酸化アンモニウムの俗称で、アンモニアガスを水に吸収させて作られる。濃度30%・25%・15%の品種があり、比重は濃度により0.89～0.93と異なる。刺激臭のある強アルカリ性液体で、蒸気圧が高いため温度上昇を防止する必要があり、戦前期にはタンク体の塗色は灰白色とするように定められていた。

タサ2000形[初代]からの改造内容は不明だが、僚車であるタ1800形の例から見ると、種車のタンク体や台枠などの車体全体を、そのまま流用したようである。

このため種車が雨宮製のタ1700、1701と日車本店製の1702では、外観・構造が異なっていた。

タ1702は昭和10年10月タサ400形412[ロット6]に、1701は昭和15年５月タサ400形413[ロット7]にそれぞれ改造された。

唯一残ったタ1700は、戦後も一貫して日産化学工業KKで使用されていたが、ヨンサントウを控えた昭和43年９月30日付で廃車となった。

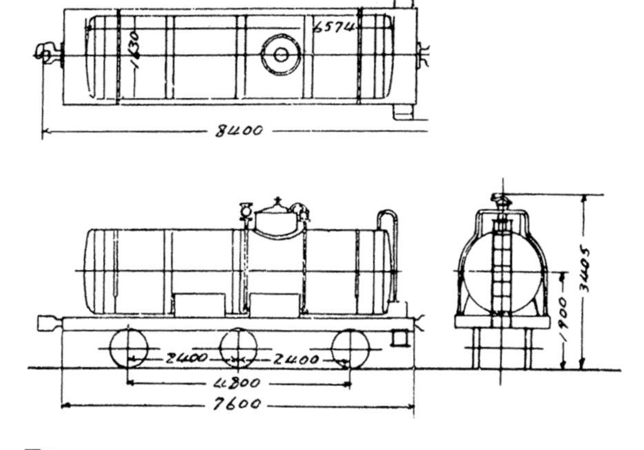

図７
タ1700形1700、1701（ロット１）の形式図
貨車形式図（昭和４年）

タキ2500形初代

昭和5年2月川崎で2500、2501の2輛が製作されたタキ2500形初代25トン積濃硫酸専用車は、当時最大の濃硫酸タンク車であった。所有者は大日本人造肥料KK・常備駅は速星で、雨宮製作所・日車本店製のタサ2000形初代24トン車と同時に製作されたが、なぜか川崎製の2輛だけが25トン積となっている。

設計比重は1.82・タンク容積は13.7㎥であった。タンク体は普通鋼の鋲接組立で、板同士の接合方法はタサ2000初代と同様に当板を用いた突当て方式を採用し、寸法は長さ6,560㎜×直径1,630㎜と、タサ2000形初代と大差はなかった。タンク固定はセンタアンカ方式だが、タンク受台は鋼製の大型のもので、当時競作されたタサ400・2000ファミリーでは最も近代的なものであった。荷役方式は空気圧による上出し方式で、空気管・液出管はS字管により車体両側に導かれていた。

台枠は標準的な平型で、長さは7,400㎜・軸距は2,250㎜×2と、タサ2000形初代よりコンパクトな設計であった。走り装置は長一段リンク式・ブレーキは片側＋KD式空気と、当時としては標準的な構造である。

昭和5年10月にタ1800形13トン積アンモニア水専用車の1800、1801に改造され、登場後僅か8ヶ月で姿を消した。

写真5
タキ2500形初代2500
川崎重工業KK提供

タキ2500形初代は僅か8ヶ月で姿を消したが、幸運なことにメーカー落成写真が残されている。

タンク体中央に薄く見える横線は、当時濃硫酸・希硫酸専用などの危険品輸送用タンク車を識別するため標記されていた幅4インチの赤線である。

台枠四隅に設置された握り棒とブレーキ用と同型のステップは、本形式独特のものであった。

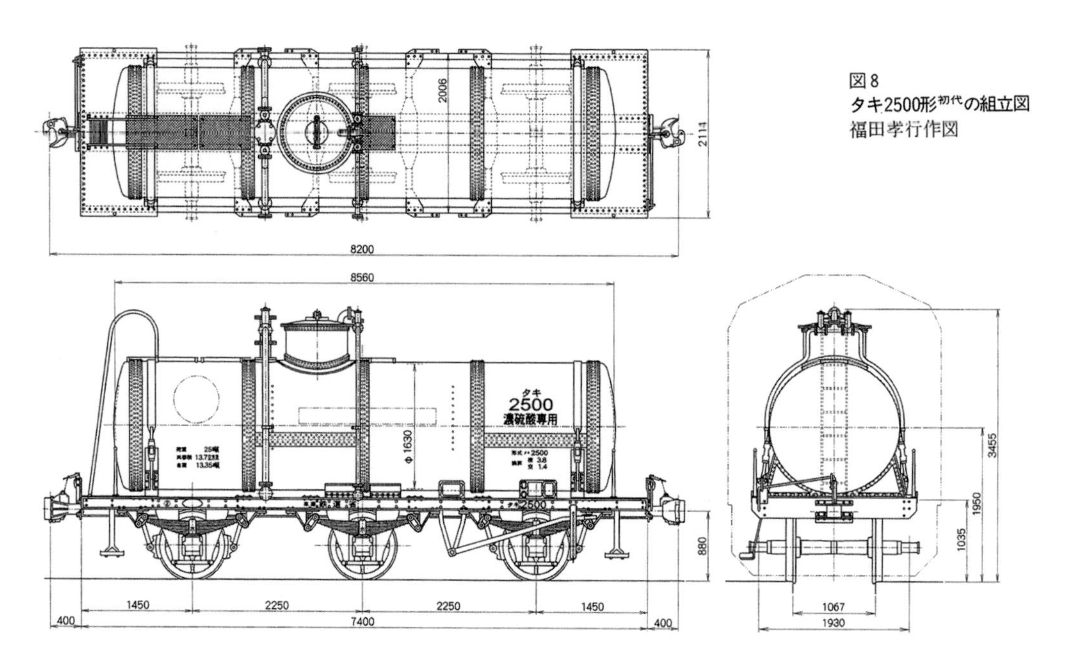

図8
タキ2500形初代の組立図
福田孝行作図

タ1800形

タ1800形は13トン積アンモニア水専用車で、昭和5年10月に1800、1801の2輌がタキ2500形初代25トン積濃硫酸専用車の2500、2501から改造された。同時に改造された車輌に12トン積のタ1700形があり、所有者は大日本人造肥料KK・常備駅は速星であった。

写真6から見る限り、改造後も種車のタンク体と台枠をそのまま使用していたようである。

所有者名は幾多の変更を経て、最後は日産化学工業KKとなったが、昭和43年9月30日付で廃車となった。

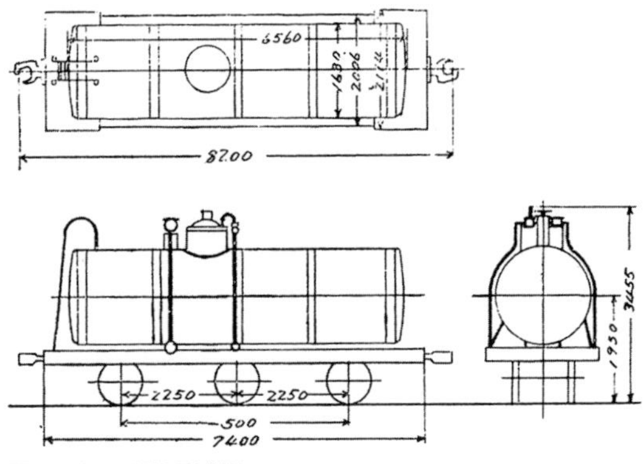

図9　タ1800形の形式図
貨車形式図(昭和4年)

写真6
タ1800形1800と1801
P：吉岡心平所蔵

タ1800形となってからの写真で、タキ2500形初代時代の写真5と比較しても、外観は全く変化していない。
タキ2500形初代の特徴である四隅の握り棒もそのまま残されている。
なおタ1800形の間に挟まれている車輌は、タム40形14トン積カセイソーダ液専用車である。

タム5500形

タム5500形は16トン積希硝酸専用車で、昭和14年1月陸軍火工廠で5500～5503の4輌がタサ400形20トン積希硫酸及びリン酸専用車の403、404、406、410から改造された。わが国初の希硝酸タンク車として著名な形式であった。

積荷の希硝酸とは濃度68％未満の硝酸のことで、特異臭のある黄色有毒液体である。腐食性・酸化性があり、容器の材料にはステンレス鋼が使用されるが、当時はようやく国産品が使用可能になった時期であった。

改造を担当したのは陸軍の王子化学機械工作所で、種車の台枠以下はそのまま流用し、この上に新製したタンク体を搭載した。

設計比重は1.32・タンク容積は12.5㎥であった。タンク材質はニッケルクロム系ステンレス鋼で、板厚は胴板・鏡板ともに5㎜と薄く、このままではタンク体の強度が不足するため、普通鋼製の65×65㎜アングルをタンク周囲に設置してタンク体を補強した。タンク固定はセンタアンカ方式で、タンク受台は木(日本松)製のものをタンク周囲4箇所と下部2箇所に新設した。タンク体の塗色は規程により銀色となった。

台枠以下は種車のものをそのまま流用したため、種車が汽車製のタム5500、5501と、日車製の5502、5503では全長や軸距が異なっていた。

その後、タンク体の補強枠とタンク受台は後天的改造により補修されたが、改造内容は車輌によって相違したため、一輌毎に異なった外観となった。

所有者名の変更はあったが、晩年は日産化学工業KK所有として、速星からの希硝酸輸送に長年従事していたが、ヨンサントウによる3軸車淘汰により、昭和43年4月から9月にかけて全車廃車となった。

写真7
タム5500形5500
1961.10.26　直江津
P：豊永秦太郎

トップナンバーの写真で、種車は汽車東京製のタサ403、台枠全長は7,700mm・軸距は2,400mm×2であった。

撮影時点では、既に後天的改造を受けておりタンク補強枠は増設、タンク受台は鋼製のものに交換、そしてセンタアンカ部は強化されている。

写真8
タム5500形5503
P：伊藤　昭

タム5503の種車は日車本店製のタサ2005を改造したタサ410で、台枠全長は7,600mm・軸距は2,500mm×2であった。このため写真7の車輌より「ガニ股」である。

まだ木製のタンク受台を使用していた時代の写真で、標記類はタンク体に直接記入されていた。

なおタンク帯金は、図面より車体中心寄に位置しているようである。

写真9
タム5500形5503
1967.12　田端操
P：遠藤文雄

写真8の車輌の晩年の姿で、タンク受台は鋼製のものと交換され、標記類もタンク体とは別の板に記入されるようになった。タンク体の所々には補修跡と思われるパッチが見られる。

またばね吊り受の形状は写真7と異なるが、これはメーカーの相違が原因である。

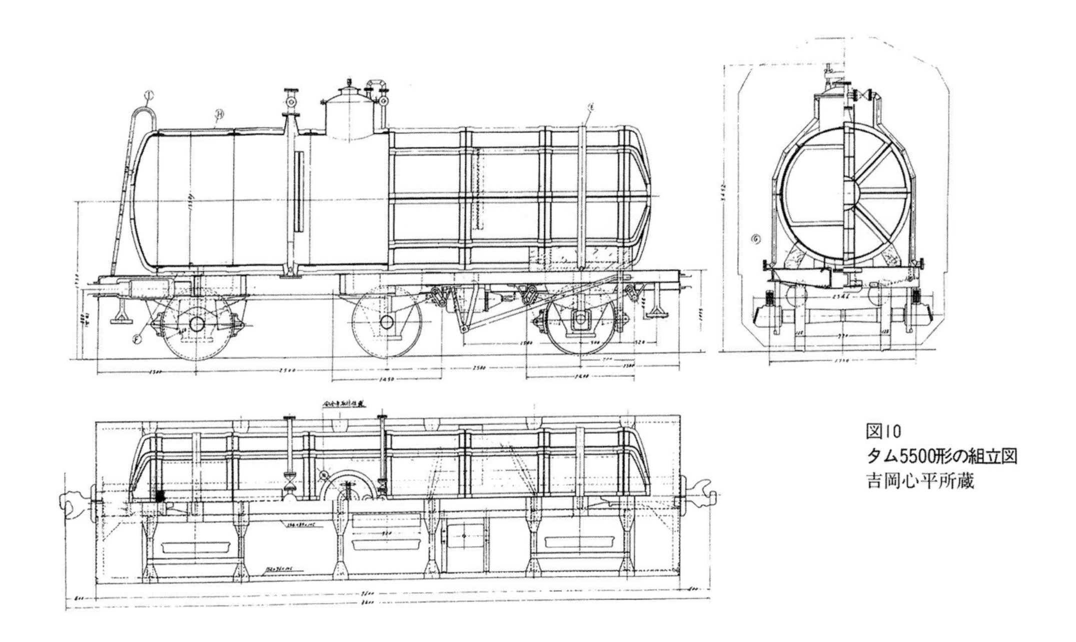

図10
タム5500形の組立図
吉岡心平所蔵

貨車ひとくちメモ　3軸貨車の走り装置

3軸貨車のウイークポイントのひとつに曲線通過がある。このため3軸貨車の走り装置には曲線通過を容易にするため、長一段リンク式ばね吊り装置が使用されている。

下図最上段は、大正3年登場のフア27000[M44]形から使用されているもので、ばね吊り受の形状に特徴があり、軸箱守は帯金から組み立てたWガード式である。下図中段は昭和4年のタサ500形などから採用されたもので、軸箱守がプレス物に変更された。下図下段は昭和10年頃から用いられているタイプで、ばね吊り受の形状が2軸貨車と類似したものとなった。

●作図：福田孝行

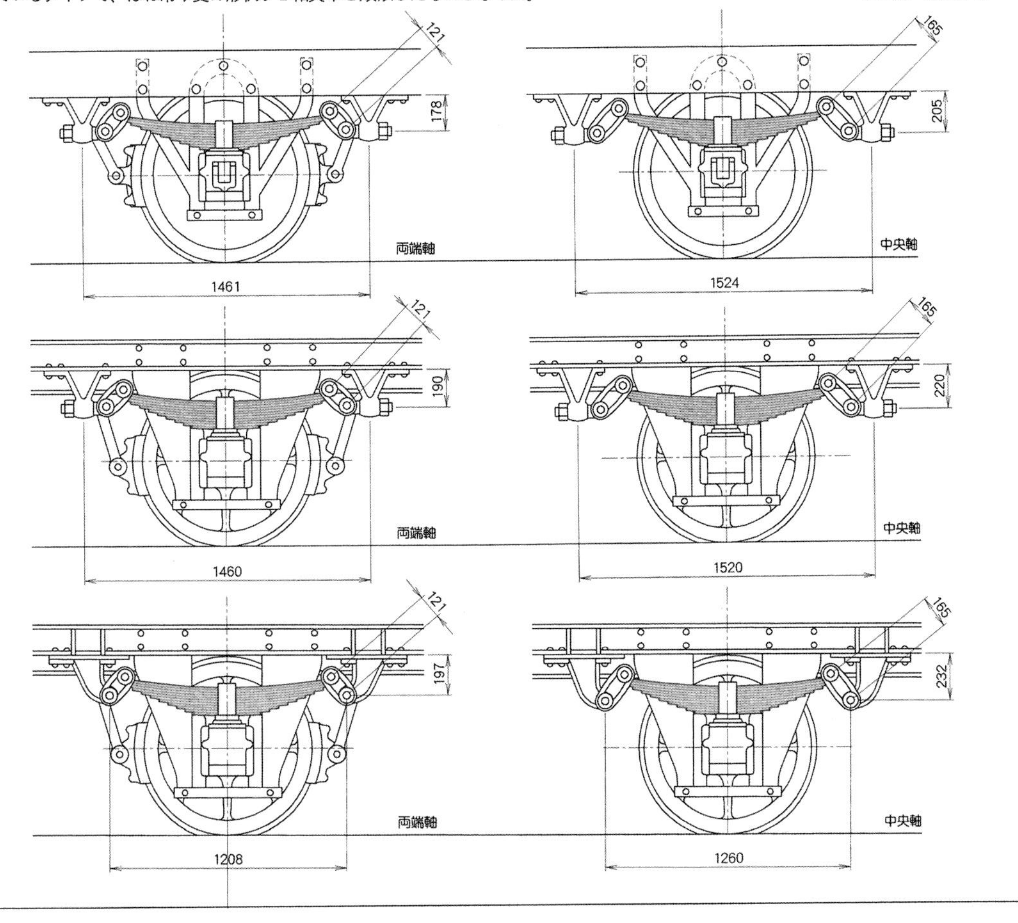

タサ1200形

タサ1200形は20トン積濃硫酸専用車で、昭和11、12年に23輌が製作された。後に一旦他形式に改造されていた車輌から4輌が復元されている。新製車は4ロットに分類されるが、製造時期はロット3→4→2→1の順となっている。

■ロット1　番号1200～1209　輌数10

昭和12年1月大阪製で、所有者は朝鮮鉱業開発KK・常備駅は木ノ本であった。新製車では最後に落成したロットである。

タンク体は普通鋼を鋲接で組立てたもので、底板は全長に亘って一体とされ、板厚は胴板上部が8㎜・鏡板と胴板底部が10㎜で、寸法は長さ7,450㎜・直径は1,400㎜であった。タンク内部にはヘアピン状の温水加熱管を装備していた。タンク固定はセンタアンカ方式で、タンク受台は大型と小型とが各4個ずつあり、タンク体との間には硬木が挟み込まれていた。

荷役方式は空気圧による上出し方式で、落成時は液出管と空気管がS字管で車体側面に導かれていたが、腐食が著しかったため、戦後撤去されている。

台枠は平型で、全長は7,900㎜・軸距は2,585㎜×2であった。車軸は12トン長軸・走り装置は長一段リンク式、そしてブレーキ装置は片側＋KD型空気と、当時としては標準的な構造であった。

所有者は昭和14年4月に日窒鉱業KKに変更され、1200～1207の8輌は昭和16年8月にタラ300形17トン積希硫酸専用車の300～307に改造された。昭和17年2月にはタサ1208もタラ308に改造され、残った1209は昭和18年8月に廃車となった。

■ロット2　番号1210～1219　輌数10

昭和11年11月大阪製で、落成時の所有者は朝鮮鉱業開発KK・常備駅は石山であった。

外観・構造はタサ1200～1209ロット1と同一である。

落成後2ヶ月で常備駅は木ノ本に変更され、昭和14年4月には所有者が日窒鉱業KKとなった。昭和18年8月に1210～1213の4輌はタム5700形16トン積カセイソーダ液専用車の5700～5703に改造され、残る6輌は昭和18年10月に日本硫酸配給統制KKに移籍された。戦後は三社に分割され、1214は新潟硫酸KK所有となった後、

表2　タサ1200形のロット表

ロット	番号	輌数	製造	旧番号	所有者	常備駅	編入時期
1	1200～1209	10	S12大阪		朝鮮鉱業開発KK	木ノ本	S120129
2	1210～1219	10	S11大阪		〃	石山	S111112
3	1220	1	S11新潟		東硫化学工業KK	新興	S110401
4	1221、1222	2	S11大阪		日本曹達KK	中伏木	S110731
5	1223	1	S29新潟改造	タラ306	新潟硫酸KK	焼島	S29……改造
6	1201、1203、1205	3	S30新潟改造	タラ301、305、305	〃	〃	S301104改造

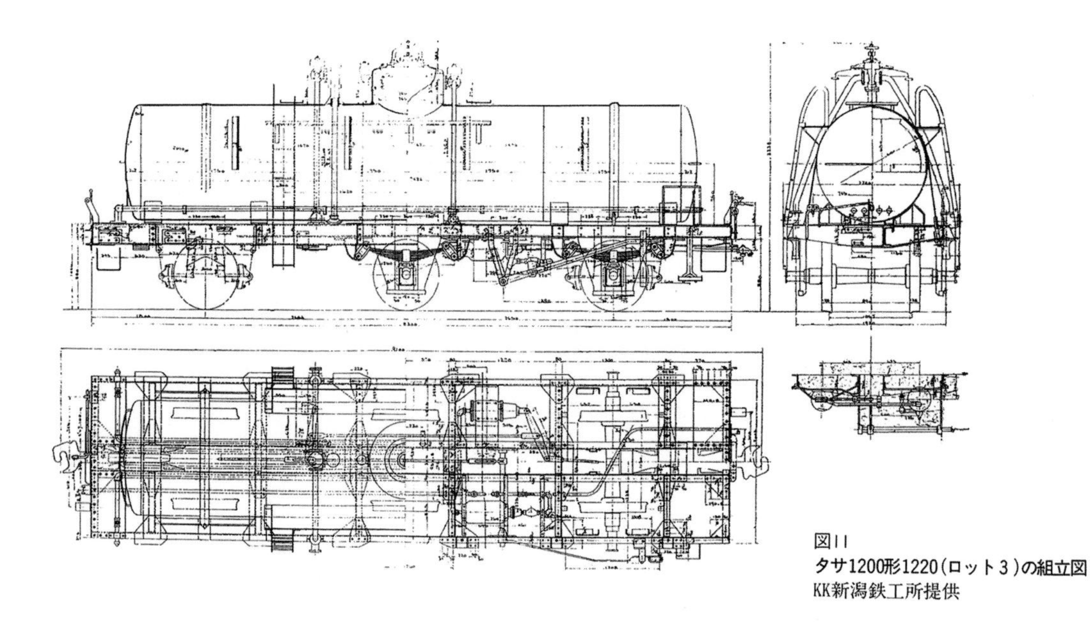

図11
タサ1200形1220(ロット3)の組立図
KK新潟鉄工所提供

写真10
タサ1200形1203他
日立造船KK提供

大阪鉄工所の落成写真で、ロット1が10輌が一列にならんだ姿は見事である。
朝鮮鉱業開発KK所有のロット1と2の車籍編入が、ロット4より遅くなったのは、所有者側の都合にあったものと思われる。

写真11
タサ1200形1220
KK新潟鉄工所提供

タサ1220(ロット3)は昭和11年4月新潟製で、タンク体が全溶接となったことが外観に与える影響は大きく、写真10や12とは全くの別形式に見える。
高比重の積荷のためタンク体は小型で、大型の台枠との組合せはアンバランスであった。

写真12
タサ1200形1222
1960.12.10　日立
P：吉野　仁

タサ1222(ロット4)は昭和11年7月大阪製で、同社製タサ1200形では最初に製作された2輌のうちのひとつ。
晩年の撮影で、液出管と空気管は腐食防止のためドーム近傍で切断され、その先に設置されていた切替弁とS字管は撤去された。ドーム周囲の手摺は後天的改造で追加されたもので、また手前側の鏡板には加熱管の痕跡が見られる。

昭和42年4月に廃車された。1215～1217は旭化成工業KKに復帰したが、昭和26年8月にタラ300形310～312に改造された。最後のタサ1218、1219はチッソKK所有となり、ヨンサントウ以降も昭和45年8月に廃車となるまで、運用限定車として水俣～南延岡間で使用されていた。

■ロット3　番号1220　輌数1

昭和11年4月新潟製で、タサ1200形で最初に落成したロットである。所有者は東硫化学工業KK・常備駅は新興であった。

全体構造は一月前に落成したタキ2500形二代25トン車に酷似し、タンク体は普通鋼製の全溶接構造で、板厚は胴板9㎜・鏡板10㎜、寸法は長さ7,424㎜・直径は1,400㎜であった。タンク内部には4列の温水加熱管が装備されていた。タンク固定はセンタアンカ方式で、タンク受台は小型のものが8個あった。

台枠以下はタキ2500形二代と同一構造で、寸法は全長8,300㎜・軸距2,650㎜×2であった。

所有者は昭和15年2月に保土ヶ谷化学工業KKに社名変更され、戦争中は統制会社に移籍したが、戦後は再び同社に復帰した。昭和30年10月にタラ420形17トン積カセイソーダ液専用車に改造され、姿を消した。

■ロット4　番号1221、1222　輌数2

昭和11年7月大阪製で、3ロットある大阪製タサ1200形の中では最初に落成し、専用種別は濃硫酸及び発煙硫酸・所有者は日本曹達KK・常備駅は中伏木であった。

外観・構造はタサ1200～1219ロット1・2と同一である。

所有者は戦中・戦後を通じて日本曹達KKで、昭和36年6月にタサ1221は廃車されたが、1222はヨンサントウで廃車されるまで能町駅常備として使用されていた。

■ロット5　番号1223　輌数1

昭和29年新潟でタサ1206の改造車であるタラ300形18トン積希硫酸専用車の306を復元改造したもので、復元後の番号は新製車の末尾に続いて附番されたため1223となった。改造時の所有者は新潟硫酸・常備駅は焼島であった。

改造内容はタンク内面の鉛ライニングの撤去が主なもので、外観的には変化していないものと推定される。

昭和42年4月、タサ1214と同時に廃車された。

■ロット6　番号1201、1203、1205すべて二代　輌数3

タサ1223ロット5に続いて昭和30年11月新潟でタラ300形301、303、305の3輌を復元したもので、なぜか番号は種車時代の原番号に戻された。所有者は新潟硫酸・常備駅は焼島であった。

改造内容は一年前に改造されたタサ1223ロット5と同一で、1201は昭和43年5月、1203、1205は昭和43年9月に廃車となった。

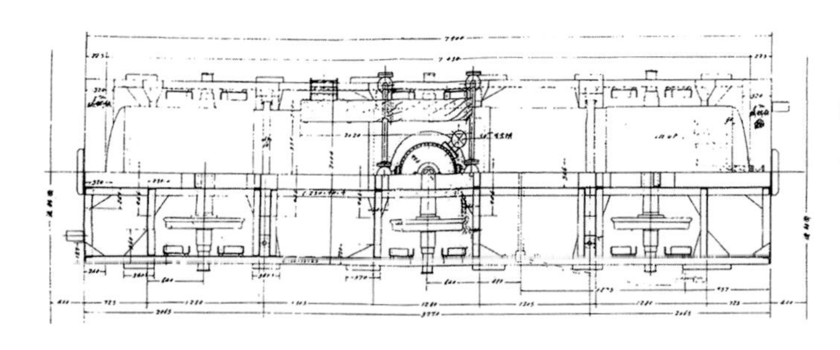

図12
タサ1200形1221、1222（ロット4）の組立図
吉岡心平所蔵

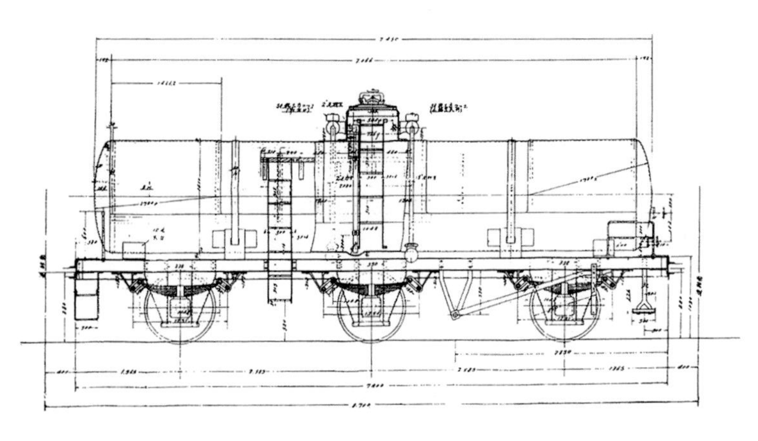

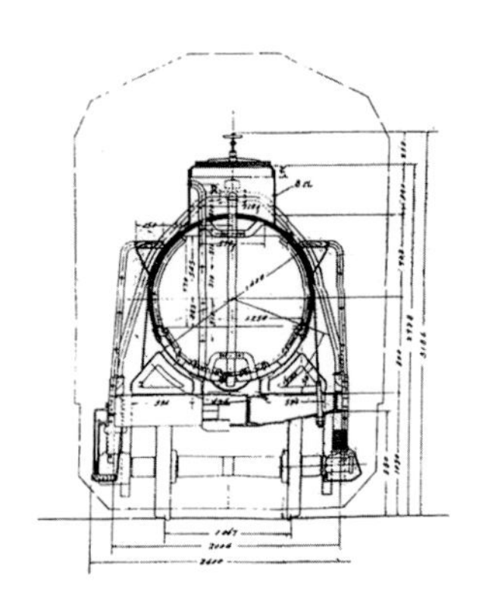

タラ300形

タラ300形は18トン積の希硫酸専用車で、12輛全てがタサ1200形濃硫酸専用車からの改造である。改造時期により３ロットに分類される。

■ロット１、２　番号300〜308　輛数９

タラ300〜307ロット1は昭和16年８月にタサ1200〜1207から、タラ308ロット2は昭和17年２月にタサ1208からそれぞれ改造された。所有者は日窒鉱業KK・常備駅は木ノ本であった。

改造では種車のタンク内面すべてに鉛ライニングを施した。鏡板には作業口が追加され、液出管は従来のものを撤去し、鉛製のものを新設した。タンク内部の加熱管は廃止されている。タンク受台と台枠以下は種車のものをそのまま流用した。

タラ307、308の２輛は昭和18年８月に除籍されたが、残る７輛は戦時統制の進展により、昭和18年10月に日本硫酸配給統制KKに移籍した。戦後は昭和23年10月に新潟硫酸KK所有となり、306は昭和29年に、301、303、305は昭和30年11月にそれぞれタサ1200形1223と1201二代、1203二代、1205二代に復元された。タラ300形として残った300、302、304はヨンサントウまで生き延び、昭和43年９月30日付で廃車となった。

309は最初から欠番である。

■ロット３　番号310〜312　輛数３

タラ310〜312は昭和26年８月にタサ1215〜1217から改造された。所有者は旭化成工業KK・常備駅は南延岡であった。

改造内容はタラ300〜308ロット1・2と同一である。

タラ312は昭和30年４月にタラ350形350に改造され、残る２輛は昭和41年度に廃車となった。

写真13
タラ300形304
1967.3.14　中条
P：堀井純一

タラ304（ロット１）は昭和16年８月にタサ1200形1204から改造された。写真で見る限り、ドームが新製されているが、どの時点で改造されたのかは判然としない。
タラ300形の荷重は18トンの筈だが、なぜかこの車輛には荷重19トンと標記されている。

タム5700形

タム5700形は16トン積カセイソーダ液専用車で、昭和18年８月にタサ1200形1210〜1213から改造された。所有者は日窒化学工業KK・常備駅は南延岡であった。

外観・構造については資料がなく詳細は不明だが、暖地での運用であり、保温キセ等は設置されず、種車時代から変化なかったものと想像される。

所有者は昭和22年６月旭化成工業KKに変更され、その後昭和26年３月にタ3200形3200〜3203への再改造により、形式消滅した。

タ3200形

タ3200形は12トン積塩酸専用車で、昭和26年３月日本鋼管でタム5700形5700〜5703から改造された。所有者は旭化成工業KK・常備駅は南延岡であった。

写真・図面が残されていないため、外観・構造については不明だが、荷重が12トンと少ないことから種車のタンク体を転用したことは確実で、内面にゴムライニングを追加施工したものと推定される。タ3201は昭和33年10月に、3202は昭和40年３月にそれぞれ廃車となったが、残る２輛はヨンサントウまで生存していた。

タラ350形

タラ350形は18トン積希硫酸専用車で、昭和30年４月大機ゴムでタラ300形312を再改造した車輌である。所有者は旭化成工業KK・常備駅は南延岡であった。

改造点は、タンク内面に施されていた耐蝕ライニングを、従来の鉛からポリエチレンに変更した点にあった。昭和29年には希硫酸タンク車用の新材料として、ビニリデンゴムを用いたライニングが実用化されており、これに対抗するものとして試作されたようである。その結果、ポリエチレンライニングは耐蝕性に優れているものの、施工性などに問題があることから、タンク車への適用はこの一輌だけで終わった。変更点はタンク内部に留まったため、タンク体外部と台枠以下は種車時代から変化していない。

結局、失敗作に終った本形式は、昭和33年12月にタ1750形塩酸及びアミノ酸専用車に再々改造された。改造後僅か３年間の命であった。

タ1750形

タ1750形は13トン積塩酸及びアミノ酸専用車で、昭和33年12月汽車東京でタラ350形350から改造された。所有者は旭化成工業KK・常備駅は南延岡であった。

改造では、種車のタンク内面に施されていたポリエチレンライニングを撤去し、新たに塩酸用のゴムライニングを施工した。改造による外観の変化はなかったようである。塩酸専用車は劣化が早いが、本形式もその例外ではなく、昭和41年５月に廃車となった。

写真14
タ1750形1750
P：吉岡心平所蔵

汽車東京で改造直後の写真。本車はタサ1217→タラ312→タラ350→タ1750と変遷し、全体としてはタサ1200形時代の外観をそのまま残しているが、ドーム廻りと荷役配管はすべて新製されている。
台枠から突き出した板状の突起は、人力荷役の際使用する「肩押し板」である。

タラ420形

タラ420形は17トン積カセイソーダ液専用車で、昭和30年10月に新潟でタサ1200形1220を改造した。所有者は保土ヶ谷化学工業KK・常備駅は郡山であった。

改造では、タンク体は種車のものをそのまま使用したが、タンク内面には純度保持のため厚さ4.5㎜のゴムライニングを、タンク外周には厚さ50㎜の保温用キセをそれぞれ追加した。鏡板にはゴムライニング用の作業口が追加されている。荷役方式は空気圧による上出し方式で、タンク受台と台枠以下は種車のものをそのまま流用した。

タキ2600形などの新鋭車に混じってカセイソーダ輸送に活躍したが、ヨンサントウ前夜の昭和43年９月30日付で廃車となった。

タキ2500形二代

昭和10、11年に７輌が製作された25トン積濃硫酸専用車で、タサ1200形20トン車とは時期的に並行して製作された。製造時期により３ロットに分類することができる。

■ロット１　2500～2502　輌数３

昭和10年10月大阪製で、落成時の所有者は旭ベンベルグ絹糸KK・常備駅は石山であった。

タンク体は普通鋼を鋲接で組立てたもので、台枠は平型であった。

昭和18年６月に20トン積カセイソーダ液専用車であ

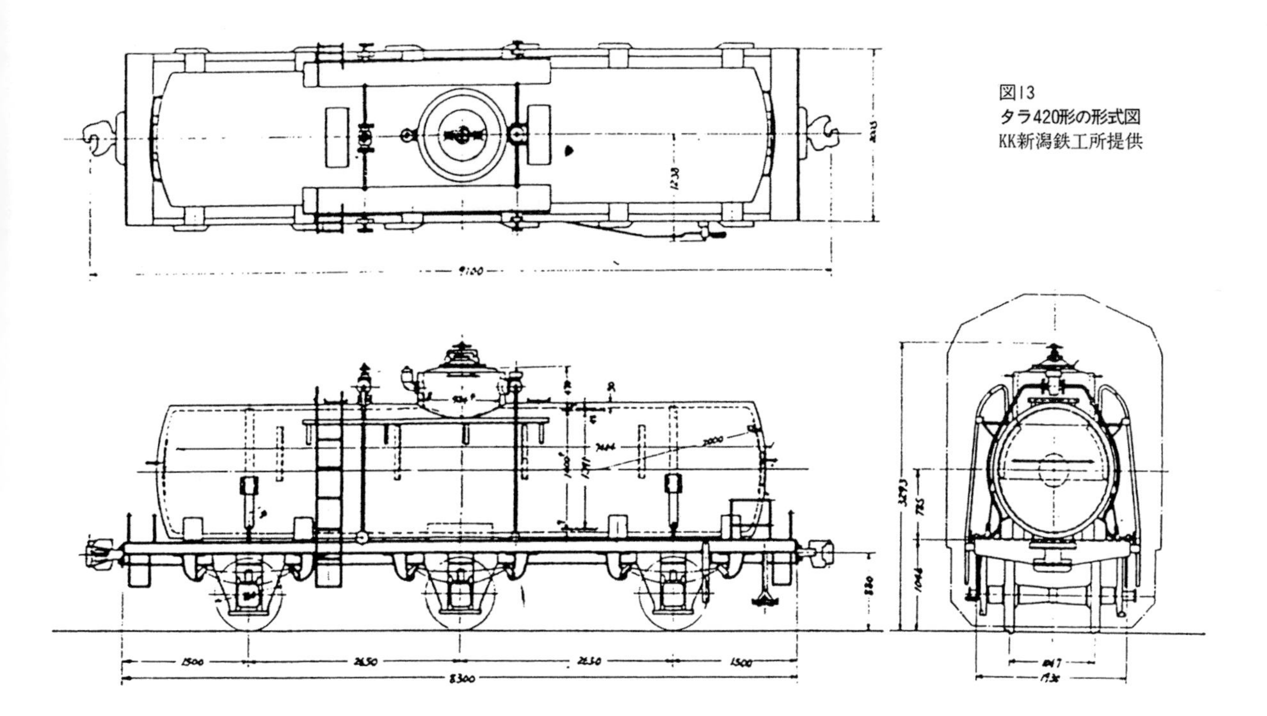

図13
タラ420形の形式図
KK新潟鉄工所提供

るタサ1300形1302～1304に改造され、このロットは消滅した。

■ロット2　2503、2504　輌数2

昭和11年3月新潟製で、所有者は東部硫酸販売KK・常備駅は須賀であった。

タンク体は全溶接構造となり、板厚は胴板が9㎜・鏡板は10㎜で、寸法は長さ7,560㎜・直径は1,555㎜であった。タンク内部の加熱管はなかった。タンク固定はセンタアンカ方式で、タンク受台は小型のものが8個あった。

荷役方式は空気圧による上出し方式で、落成時は液出管と空気管がS字管で車体側面に導かれていたが、腐食が著しかったため、後に撤去されている。

台枠は横梁6本を持つ平型で、全長は8,300㎜・軸距は2,650㎜×2であった。装備品は車軸は12トン長軸・走り装置は長一段リンク式、そしてブレーキ装置は片側＋KD型空気であった。

所有者は昭和18年9月に日産化学工業KKに移籍後、戦争中は日本硫酸配給統制KKなどを経て、戦後は日産化学に復帰した。唯一残された濃硫酸専用3軸車として活躍したが、昭和43年8～9月にかけて廃車となった。

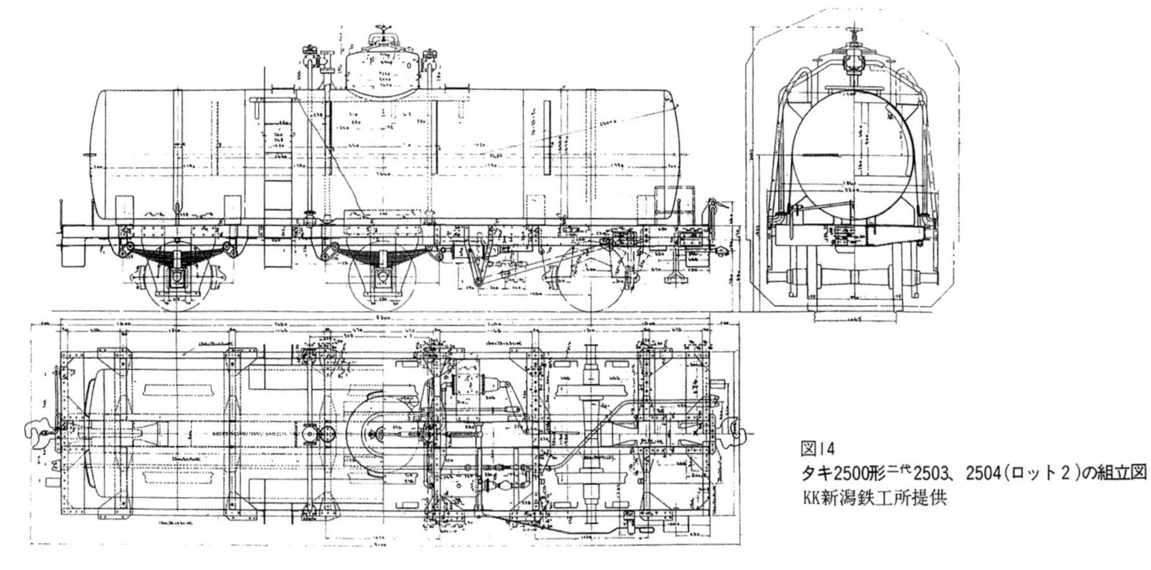

図14
タキ2500形二代2503、2504(ロット2)の組立図
KK新潟鉄工所提供

■ロット3　2505、2506　輌数2

昭和12年1月汽車会社製で、私有の3軸貨車としてはタサ500形580～583ロット15などと共に最後のグループに属していた。落成時の所有者は昭和人絹KK・常備駅は勿来であった。

タンク体は全溶接で、台枠は平型であった。

所有者は昭和14年11月呉羽紡績KKに社名変更され、開戦による産業界の戦時移行により、昭和17年3～5月にかけてタサ1300形1300、1301に改造されている。

タサ1300形

タサ1300形は20トン積カセイソーダ液専用車で、5輌が在籍したが、全てタキ2500形二代25トン積濃硫酸専用車の改造車であった。

■ロット1　1300、1301　輌数2

昭和17年3～5月にタキ2505、2506から改造された。所有者は呉羽紡績KK・常備駅は勿来であった。

改造とは言うものの実態は専用種別変更で、改造点は担バネ種別とブレーキテコ比の変更程度である。

所有者名は昭和19年9月に呉羽化学工業KKに変更された。昭和36年7月に18トン積サラシ液専用車のタラ600形600、601に再改造され、このロットは姿を消した。

■ロット2　1302～1304　輌数3

昭和18年6月にタキ2500～2502を改造したもので、所有者は旭ベンベルグ絹糸KK・常備駅は石山であった。

このロットも改造内容は軽微で、ライニングやキセの追加は行なわれていない。

所有者は昭和18年7月日窒化学工業KKに変更され、1303は戦災廃車となり、残る2輌は昭和22年6月に旭化成工業KK所有となった。南延岡を基地としたカセイソーダ輸送に長年従事していたが、昭和43年9月30日付で廃車となった。

タラ600形

タラ600形は18トン積サラシ液専用車で、昭和36年7月協三工業でタサ1300形1300、1301から改造された。所有者は呉羽化学工業KK・常備駅は勿来であった。

積荷のサラシ液は石灰乳に塩素ガスを吹き込んで作られる製紙用漂白剤で、比較的不安定で分解し易いため温度上昇を嫌う。このため改造では種車のタンク体外周に保冷用のキセを新設した。タンク受台と台枠以下は種車のものをそのまま流用している。

3軸タンク車では珍しい近代的なキセ付タンク車だったが、ヨンサントウの犠牲となり昭和43年9月30日付で廃車となった。

写真15
タラ600形601
1957.12.29　田端操
P：遠藤文雄

タラ601は昭和36年協三工業でタサ1300形1301を改造したもので、元を正せば昭和12年1月汽車東京でにタキ2500形(二代)2506として製作された車輌であった。

近代的なキセはタラ600形への改造時に新設されたもので、内側に寄った二組のタンク受台や横梁6本を持つ汽車製の台枠構造もはっきり判る。

タ550形

タ550形は10トン積液化アンモニア専用車で、わが国初の高圧ガス輸送用タンク車であった。昭和８～11年に550～554の５輌が製作されたが、製造時期により３ロットに分類される。なお昭和11年以降の増備は、３軸車の新製禁止により２軸ボギー車であるタ580形に移行している。

■ロット１　番号550、551　輌数２

昭和８年３月川崎製で、落成時の所有者は海軍火薬廠・常備駅は平塚であった。

タンク体は当時の「圧縮瓦斯及液化瓦斯取締法」に準拠して製作され、胴板19㎜・鏡板22㎜の圧延鋼板を電気溶接で組み立てた。タンク容積は19㎥、寸法は長さ8,600㎜×直径1,738㎜であった。タンク周囲には保冷のため、厚さ50㎜のコルクと薄鋼板からなるキセを装備していた。タンク中央に見えるドーム状のものはマンホールカバーで、内部にはマンホールと液出管などの配管類が設置されていた。写真で手前側の鏡板上に見える箱状のものは圧力計で、反対の鏡板下部にはもう一つのマンホールがあった。タンク固定はセンタアンカ方式で、タンク受台の形状はタキ2500形[初代]に酷似していた。タンク体外部は遮熱のため灰白色に塗装されていた。

台枠は標準的な平型で、全長は8,500㎜・軸距は2,750㎜×２であった。装備品は当時の３軸車として標準なものであった。

海軍で使用されていたが、敗戦により一旦除籍された。タ550はそのまま姿を消したが、551は昭和26年３月に再度車籍編入された。所有者は日産化学工業KK・常備駅は速星であったが、昭和36年10月に廃車された。

■ロット２　番号552、553　輌数２

昭和10年10月大阪製で、所有者は旭ベンベルグ絹糸KK・常備駅は水俣であった。

外観・構造はタ550、551[ロット1]と全く異なり、タンク体は圧延鋼鈑を鋲接により組立てた。荷役配管の配置も一変し、写真17により説明すれば、タンク体上部に見える装備は左から安全弁・圧力計・液出管・マンホール・液入管・安全弁のそれぞれカバーであった。

所有者は日窒化学工業KKから旭化成工業KKを経て、昭和31年10月宇部興産KKに移籍された。本形式の中では最も長寿であったが、ヨンサントウ前夜の昭和43年９月30日付をもって廃車となった。

■ロット３　番号554　輌数１

昭和11年７月大阪製で、所有者は海軍火薬廠・常備駅は平塚であった。

タ550、551[ロット1]の増備車として誕生したが、外観・構造は552、553[ロット2]に類似していた。

敗戦により一旦除籍となったが、昭和27年５月に再び車籍編入された。当時の所有者は昭和電工KK・常備駅は扇町であったが、昭和32年９月に廃車された。

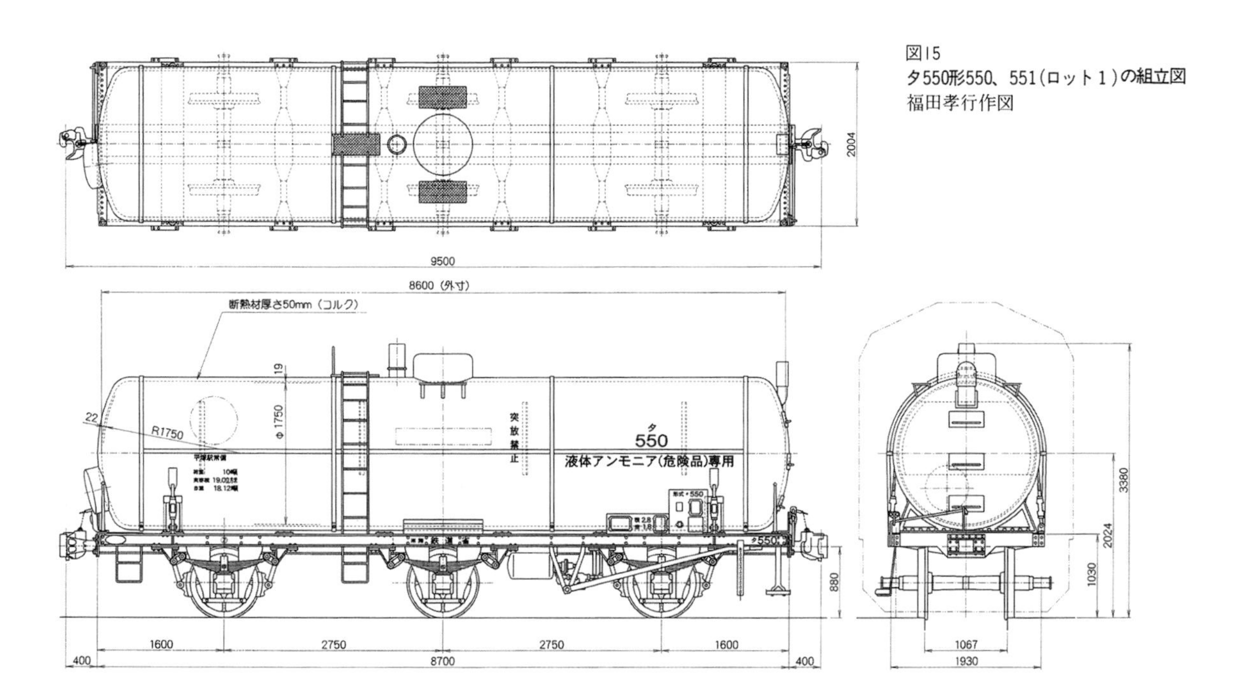

図15
タ550形550、551(ロット１)の組立図
福田孝行作図

写真16
タ550形551
川崎重工業KK提供

タ551(ロット1)は昭和8年川崎製で、わが国初の高圧ガスタンク車としてあまりにも有名な車輌である。
タンク受台や台枠以下の作りは、昭和5年に同社が製作したタキ2500形初代(写真5参照)のものと酷似していた。

写真17
タ550形553
P:『全盛期の国鉄貨車．2』より

タ553(ロット2)は昭和10年10月大阪製で、写真16のタ551(ロット1)とはメーカーが異なるため、外観は全くと言って良いほど相違しているが、その後製作された戦前期の液化アンモニアタンク車は、むしろこのタイプを標準としている。

写真18
タ550形554
P:『鉄道貨物の運送』より

タ554(ロット3)は昭和11年7月大阪製。写真17に示すロット2の約一年後に製作されたもので、全体はこれに類似するが、タンク受台や台枠補強の有無など細部が変更されている。

樺太鉄道(形式不詳)→樺太庁トサ1800形→トサ1800形→トサ100形

樺太鉄道が昭和２年２月汽車で30輌製作した20トン積３軸無蓋車。樺太鉄道の開業に合わせて製作されたようだが、当時の形式・番号は不明である。昭和16年４月に樺太庁に買収されトサ1800形1800～1829となり、昭和18年４月に同一形式・番号のまま鉄道省へ移管された。昭和19年９月には番号整理のためトサ100形100～129に改番されている。

全体構造は、国鉄のチサ100形20トン積長物車(戦前編を参照)に、側及び妻構を追加して無蓋車としたものであった。車体は木製で、側面は高さ920㎜の４枚側あおり戸となり、中央から二分割されていた。妻構上部は山型で、車体内寸は2,500㎜であった。

台枠は平型で、寸法は車体長8,000㎜・軸距2,500㎜×で、樺太向け貨車の通例として車軸には短軸を使用していた。ブレーキ装置は片側ブレーキだけであった。

戦後、敗戦による樺太喪失により除籍された。

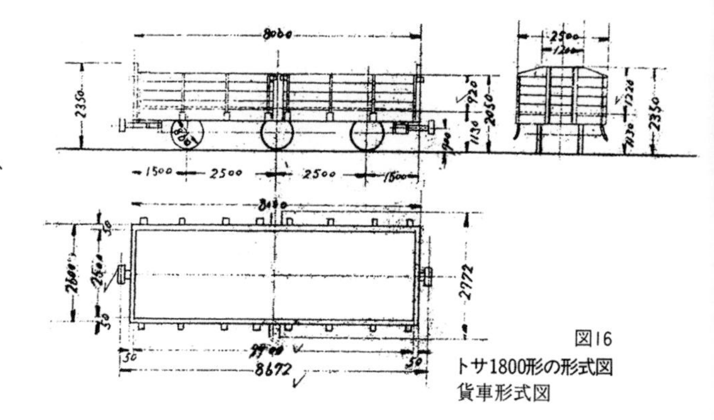

図16 トサ1800形の形式図
貨車形式図

樺太鉄道(形式不詳)→樺太庁トサ1850形→トサ1850形→トサ200形

樺太鉄道が昭和15年12月木南車両で10輌製作した20トン積無蓋車で、昭和16年４月に樺太庁トサ1850形1850～1859となり、昭和18年４月に鉄道省へ移管後、昭和19年９月にはトサ200形200～209に改番された。

チサ1000形の項で述べる「樺太型３軸車」の一員で、全体構造は、前出のトサ100形を近代的かつ大型化したものとなった。後述するトチサ1500形とは異なり、柵柱は設けられていない。車体は木製で、車体全長は8,540㎜とトサ100形より540㎜長く、あおり戸高さも980㎜とトサ100形より60㎜高くなった。軸距も2,700×２㎜と拡大されたが、相変わらずブレーキ装置は片側ブレーキだけであった。

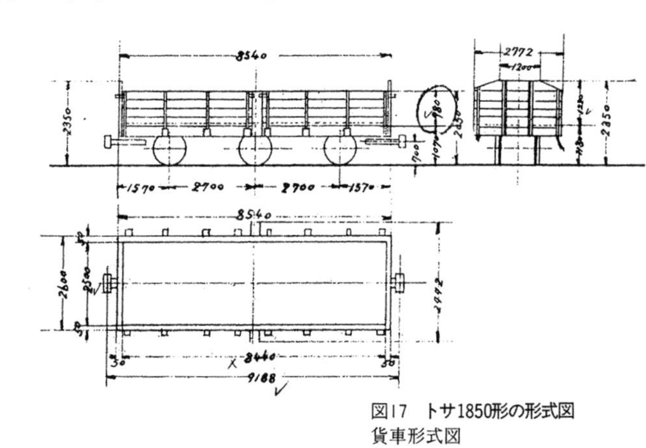

図17 トサ1850形の形式図
貨車形式図

樺太庁チ1200形→樺太庁チサ1300形→チサ1300形→チサ800形

樺太庁が汽車東京で、昭和３年10月に1200～1214の15両、昭和４年７月に1215～1224の10輌、合計25輌を製作した20トン積長物車。その後荷重記号の導入によりチサ1300形1300～1324に改番後、昭和18年４月に同形式のまま鉄道省へ移管され、昭和19年９月の改番でチサ800形800～824となった。

全体構造は国鉄チサ100形に準じた設計で、車体は長さ8,000㎜・幅2,300㎜であった。床板は木製で荷摺木が８本、柵柱は12本あった。

台枠は平型で、軸距は2,500㎜×２である。チサ100形と異なり、車軸に10トン短軸を使用していたため、別形式とされたようである。

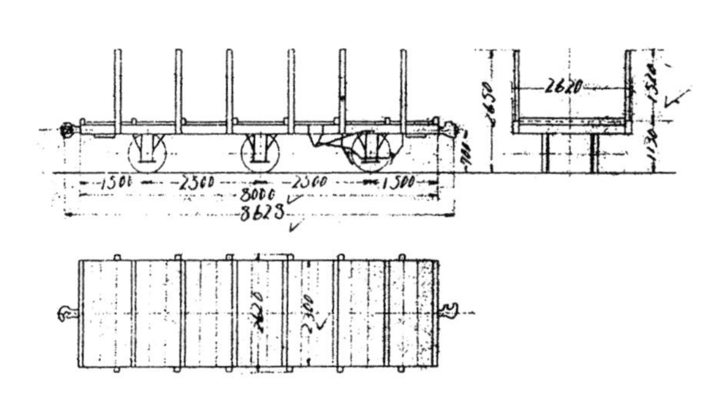

図18 チサ1300形の形式図
貨車形式図

写真19
樺太庁チ1200形番号不詳
(→樺太庁チサ1300形
→チサ1300形
→チサ800形)
P：阿部貴幸所蔵

メーカーのカタログに掲載された落成写真。全検標記「3-10汽車会社」から1200～1214の内の一輌と考えられる。
戦前編に掲載したチ30500M44(後のチサ100)形と酷似しているが、車軸に10トン短軸を使用している点が相違する。

樺太鉄道(形式不詳)→樺太鉄道チサ1000形→樺太庁チサ1000形→チサ1000形

樺太鉄道が昭和４～16年に日車・汽車大阪・木南車両で1030～1239の210両を製作した20トン積長物車。荷重記号が導入されるまでの形式・番号は不明だが便宜上このように標記する。昭和16年４月に樺太庁に買収、昭和18年４月に鉄道省へ移管された。昭和19年９月に番号整理のため形式はチサ1000形のまま1000～1209と番号を30だけ前に詰めた。

全体構造は国鉄チサ100形に準じた設計で、床板は木製で荷摺木が８本、柵柱は12本あった。車体寸法は本形式独自のものとなり、全長8,540㎜・軸距は2,700㎜×２と全長が540㎜・軸距は200㎜それぞれ長くなった。この寸法で製作された車輌にはトチサ1500形・トサ1850形があり、昭和18年にトキ900形が登場するまで３軸車の増備を続けたのは樺太鉄道が唯一の存在であったことを考慮すれば、これらは正しく「樺太型３軸車」と呼ぶに相応しい車輌達であった。

戦後、敗戦による樺太喪失により除籍された。

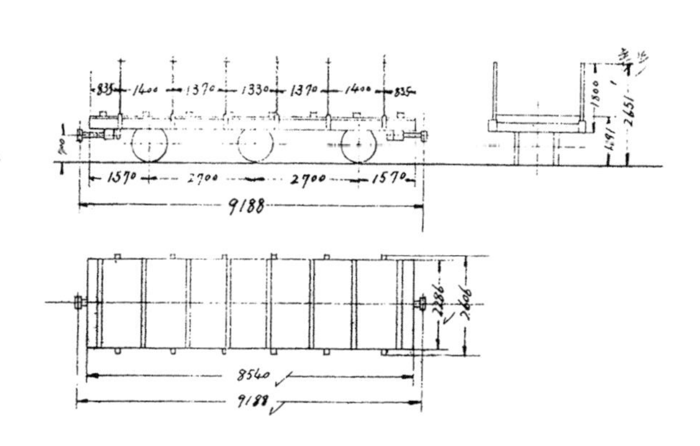

図19　チサ1000形の形式図
貨車形式図

写真20
樺太鉄道チサ1000形1172
(→チサ1000形1172
→チサ1000形1142)
『日車の車輛史』編集部提供

チサ1172は昭和11年４月に日車本店で1170～1199の30輌製作された内の１輌。
軸箱守はWガード式、車軸は10トン短軸と古めかしい設計で、空気ブレーキを装備していないため、ブレーキシューは右端の軸にしかない。

樺太庁トチサ1500形→トチサ1500形→チサ1000形

樺太鉄道の20トン積無蓋車兼用長物車で、昭和９年11月に日車本・支店で1500～1549の50輌製作され、その後時期及び製造所は不明だが1550～1589の40輌が追加された。昭和16年４月に樺太庁に買収、昭和18年４月に鉄道省へ移管された。昭和19年９月の改番ではこの種の車輌が国鉄車には無かったため長物車に包含され、チサ1000形の1210～1299となった。

全体構造は「樺太型３軸車」ファミリーに属し、チサ1000形に準じた車体上に３枚側の二分割式あおり戸を追加した。あおり戸高さは610㎜と低く、妻構上部が平坦であることも含め、無蓋車と言うより土運車と称すべき車輌であった。床板は木製で荷摺木が８本あり、長物車として使用する場合には柵柱12本が装備可能であった。車体寸法は全長8,540㎜・軸距2,700㎜×２で、車軸は10トン短軸・走り装置は長一段リンク式であった。

戦後、敗戦による樺太喪失により除籍された。

写真21
樺太鉄道
トチサ1500形1539
(→チサ1000形1249)
『日車の車輌史』編集部提供

昭和９年11月に日車本店で製作された際の写真。
樺太鉄道チサ1000形に、側あおり戸と妻構を追加して無蓋車として使用可能なようにした車輌であった。側板・妻板は共に高さが低く、土砂の輸送に使用したのではないかと思われる。

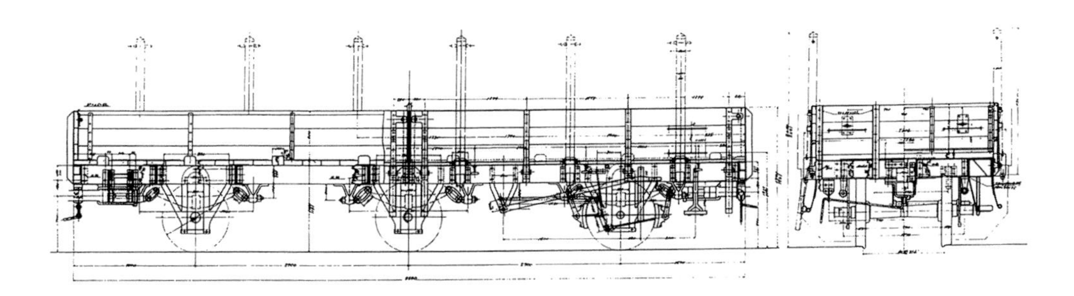

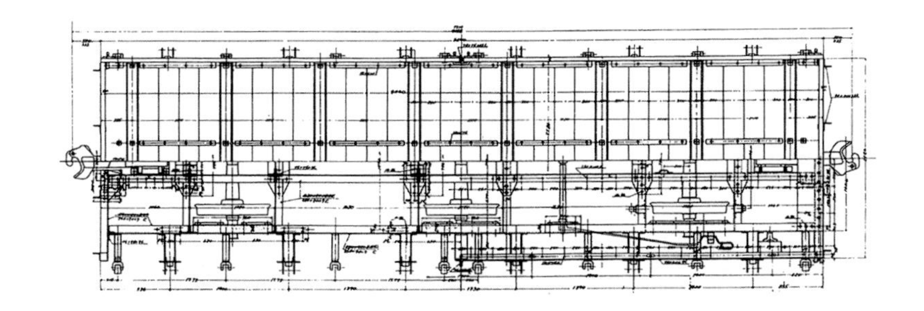

図20
樺太鉄道トチサ1500形の組立図
『日車の車輌史』編集部提供

青梅電気鉄道(形式不詳)→青梅電気鉄道トサ1000形→トサ１形二代

青梅電気鉄道では、大正15年８月自社工場で２軸無蓋車30輌を24トン積３軸無蓋車に改造した。落成時の形式・番号は不詳だが、荷重記号の追加以降はトサ1000形1001～1030となった車輌がそれである。

種車となったのは大正10年梅鉢製の15トン積無蓋車で、国鉄トム5000形に酷似した観音開き式の車輌であった。３軸車への改造では、従来の車体上端に板１枚を追加して嵩上げし、開き戸も上部に鋼板を継ぎ足して高さを揃えた。改造による容積の増加が33.5m³から36.6m³と僅か９％なのに対し、荷重は15トンから24トンへと60%も引上げられたのは、比重の大きい砂利輸送に供するためと推定される。車体寸法は全長7,030mm・軸距1,981mm×２で、車軸は10トン長軸であった。走り装置では、両端軸は種車の一段リンク式をそのまま用いたが、増設した中央軸は横動を許容するため、長一段リンク式のものを新製した。ブレーキ装置は片側ブレーキで、ブレーキシリンダは装備していなかった。

このうちトサ1001～1020の20輌は昭和18年10月に15トン積２軸車に復元され、トム1001～1020となった。

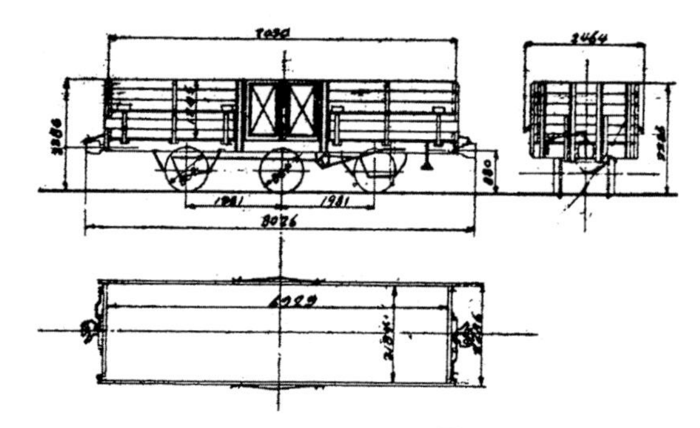

図21　トサ1形二代の形式図
貨車形式図

その後、青梅電気鉄道は昭和19年４月に戦時買収となり、トサ1021～1030の10輌はトサ１形二代の１～10に改番された。買収の際、荷重は汎用車として査定し直した結果、20トンに減トンされている。

僅か10輌の異端車で、ブレーキシリンダが未装備であったこともあり、昭和25年度の特別廃車により姿を消した。

トキ900形

昭和16年12月の開戦で、船舶が軍事輸送に転用されたため、石炭などの戦略物資輸送は鉄道に転移された。このため貨物輸送量は増加の一途を辿り、無蓋貨車の大量増備が要請された。一方、資材の欠乏は甚だしく、車輌生産も割当制となった。そこで限られた資源で大量の貨車を製作するため、構造を簡易化した「戦時設計」の貨車が出現した。この代表が30トン積３軸無蓋車であるトキ900形であった。

陸運転換の趣旨から、あおり戸式無蓋車の上部に固定側板を追加して容積を拡大し、石炭などバラ積貨物の輸送に適した構造とした。資材活用のためボギー車をやめ、荷重対自重比の優れた３軸車としたことから、車体長さは従来のトラと同じサイズに制限された。車体断面は北海道・九州の石炭積込場の縮小限界を考慮して設計した。こうして設計された結果は、大正期に常磐炭輸送用として試作されたト23700M44形（後のトサ１形初代・戦前編参照）を拡大したものとなった。

鋼材を節約するため車軸は短軸とし、台枠中梁をこれまでの250×90mmチャンネルから、側梁に使用されているものと同じ180×75mmチャンネルに変更した。更に車輪のタイヤ断面も初めから直径を小さくして鋼材の使用量を削減した。従来の３軸貨車では、中央軸は横動を妨げないようブレーキシューを設置していなかったが、本形式では編成中の構成比率が高くなることが予想されたため、中央軸にもブレーキ装置を追加した。

車体塗装にはコールタールなどの代用塗料を使用する他、金属部品と標記部を除き省略出来るものとした。

このように従来の車輌から大幅に逸脱した設計であったため、まず試作車を製作して各種試験を実施することになった。

■試作車　番号900～902　輌数３

昭和18年に国鉄大宮工場で３輌が製作された試作車で、車体構造は一輌毎に異なるものとされた。

トキ900号車はトラ6000形に似たタイプで、あおり戸と固定側板は中央から二分割されていた。あおり戸は５枚側で、高さは950mmと量産車より約100mm高い。

トキ901と902は側面三分割タイプで、両車は表３に示す通り妻柱の構造が異なっていた。あおり戸高さは950mmで、固定側板の枚数は３枚であった。写真ではトキ902の固定側板の構造に二種類あるが、車体の両側で作り分けていたようである。

昭和18年初頭に落成後、２月には走行試験と大規模な衝突試験を実施した。試験後は昭和18年11〜12月に再び車籍編入されたが、試験車を復元したのか別途新製車を充当したのかは謎である。

■昭和18年度　番号903〜6451　輛数5,549

試作車を評価した結果、量産車はトキ902を原型とした上で、車体強度を増加するためあおり戸高さを約860㎜に低下させた。このため固定側板は試作車から１枚増えて４枚となった。

昭和18年度の貨車新製計画では、トキ900形は表４に示す通り貨車メーカー７社８工場に5,549輌が割当てられたが、開戦による人員・資材の不足で、当時既に貨車生産能力は不足していた。このため18年度上半期は前年度発注のトラ20000・トキ10形や当年度発注のトラ6000形の生産に追われ、トキ900形量産車が出現したのは９月に入ってからであった。結局18年度割当分の製作が完了したのは昭和19年前半で、中には日立のように割当分が消化出来ず、欠番を生じた会社もあった。

■昭和18年度（追加）　番号6452〜6548　輛数97

昭和18年10月の修正計画では、期初計画で割当数の少なかった中堅メーカー３社に97輌を追加した。実際の生産は昭和19年に入って行なわれ、全車無事に落成している。

■昭和19年度（国鉄）　番号6549〜6948　輛数400

昭和19年度新製計画では、国鉄工場に400輌を割当てた。割当を受けた工場は北海道内の４工場で、石炭輸送用のセキの補充が主目的であったものと推定される。敗戦後落成した分を含めても落成数は145輌に過ぎず、残る255輌は欠番となった。

■昭和19年度（民間）　番号6949〜13448　輛数6,500

19年度の民間メーカーに対しては、18年度と同じ７社８工場に6,500輌を割当てた。18年度分の完成後に着手したため、早い会社でも19年７月以降の落成となり、日車支店などは昭和20年に入ってから製作を開始した。また日立は割当分の500輌を、全く製作せずに終わった。

人員・資材の不足が悪化する一方で、昭和20年に入ると空襲や艦砲射撃による工場の被災により、製作数は激減した。敗戦後も仕掛り品や手持ち資材により生産が続けられたため、昭和21年製の車輌も少数ながら存在したが、結局2,718輌（計画数の42%）が落成したに留まった。

なおトキ900形は短期間に計画生産されたため、ロットによる外観の変化は僅少だが、昭和19年度計画車からは、あおり戸ばね受とロープ掛が更に簡易化されたものに変更されている。

■その他　番号13449〜13458　輛数10

19年度計画の末尾以降の番号としたため大きく番号

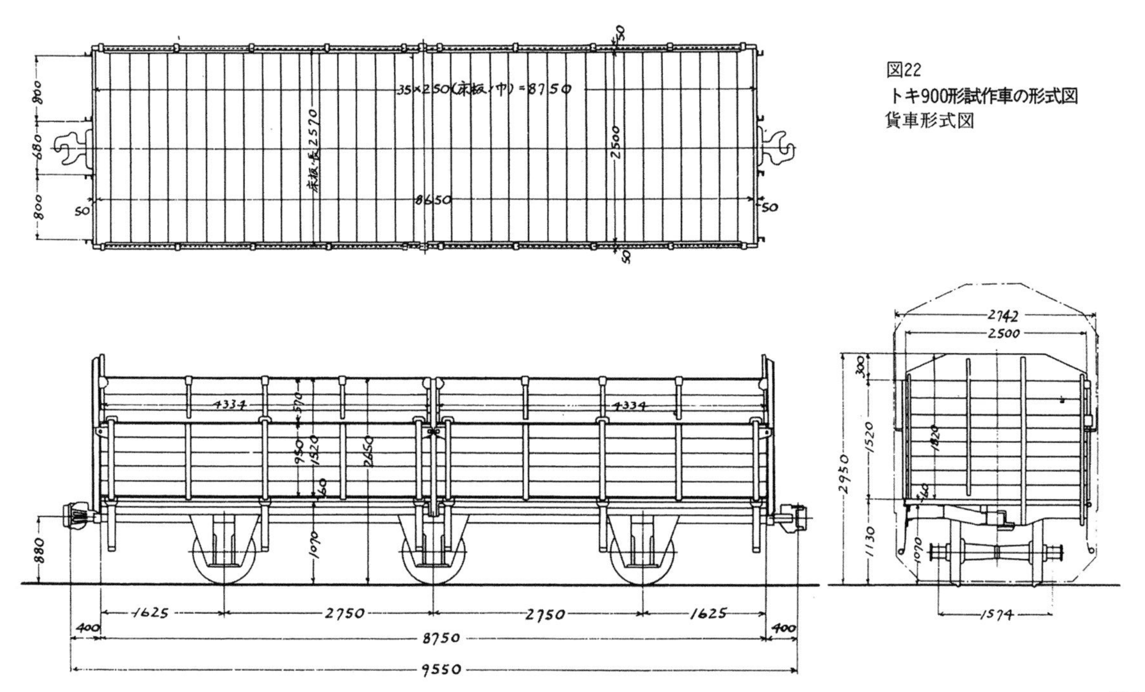

図22
トキ900形試作車の形式図
貨車形式図

写真22
トキ900形900
P：JR貨物提供

トキ900形のトップナンバーだが、あおり戸と固定側板は従来のトラの延長線上にあるデザインで、中央から二分割され、量産車とは全く異なっていた。
妻板上にあるひさし状の木材は、衝突試験のため仮設されたものである。

写真23　トキ900形901　P：JR貨物提供

写真24　トキ900形902　P：JR貨物提供

写真25　トキ900形901の車端部　P：JR貨物提供

写真26　トキ900形902の車端部　P：JR貨物提供

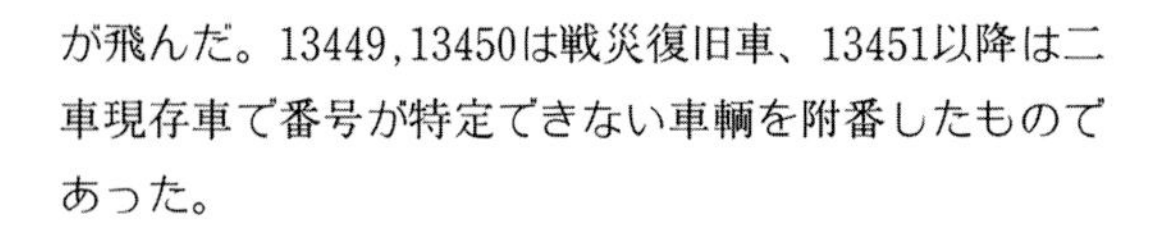

が飛んだ。13449,13450は戦災復旧車、13451以降は二車現存車で番号が特定できない車輌を附番したものであった。

■その後のトキ900形

こうして8,209輌のトキ900形が落成したが、敗戦後はその活用が問題となった。当初計画は80頁囲み記事

表3　トキ900形試作車の相違点

番号	900	901	902
側面の分割	二分割	三分割	三分割
側・妻板厚	50	50及び40	50及び40
側柱寸法	75×75	75×75	75×75
妻柱寸法	150×75×65	75×75	180×75
隅柱寸法	150×75×65	75×75	180×75

写真27
トキ900形904
P：吉岡心平所蔵

昭和18年度の日車本店割当分である903～1952(ロット2)の1,050輛のうち、トキ903に続く量産二号車で、昭和18年10月に落成した。

日車本店製は妻柱先端部の傾斜が緩い点が外観的特徴である。

昭和27年12月に長野工場でワム23000形33591に改造され消滅した。

表4　トキ900形のロット表

分類	ロット	割当番号	割当数	落成番号	落成数	欠番	不足数	製造所	製造年月
【S18試作】	1	900～902	3	900～902	3			大宮	S1811-S1812
	小計		【3】		【3】		【0】		
【S18民間】	2	903～1952	1,050	903～1952	1,050			日車本店	S1810-S1909
	3	1953～2362	410	1953～2362	410			川崎	S1809-S1907
	4	2363～3462	1,100	2363～3462	1,100			汽車東京	S1810-S1909
	5	3463～4437	975	3463～4437	975			日車支店	S1811-S2002
	6	4438～4857	420	4438～4857	420			新潟	S1810-S1906
	7	4858～5351	494	4858～5351	494			田中	S1809-S1901
	8	5352～5991	640	5352～5688	337	5689～5991	303	日立	S1901-S2012
	9	5992～6451	460	5992～6451	460			帝国	S1810-S1906
	小計		【5,549】		【5,246】		【303】		
【S18追加】	10	6452～6476	25	6452～6476	25			帝国	S1906
	11	6477～6501	25	6477～6501	25			新潟	S1906-S1907
	12	6502～6548	47	6502～6548	47			田中	S1909-S1910
	小計		【97】		【97】		【0】		
【S19国鉄】	13	6549～6748	200	6549～6623	75	6624～6748	125	苗穂	S1906-S2103
	14	6749～6808	60	6749～6759	11	6760～6808	49	五稜郭	S1906-S2101
	15	6809～6868	60	6809～6841	33	6842～6868	27	旭川	S1906-S2003
	16	6869～6948	80	6869～6894	26	6895～6948	54	釧路	S1908-S2003
	小計		【400】		【145】		【255】		
【S19民間】	17	6949～7958	1,010	6949～7792	844	7793～7958	166	日車本店	S1909-S2012
	18	7959～8808	850	7959～8378	420	8379～8808	430	川崎	S1907-S2101
	19	8809～9868	1,060	8809～9167	359	9168～9868	701	汽車東京	S1910-S2103
	20	9869～10608	740	9869～10018	150	10019～10608	590	日車支店	S2003-S2012
	21	10609～11248	640	10609～10858	250	10859～11248	390	新潟	S1907-S2012
	22	11249～12098	850	11249～11608	360	11609～12598	990	田中	S1910-S2011
	23	12099～12598	500			12099～12598	500	日立	
	24	12599～13448	850	12599～12933	335	12934～13448	515	帝国	S1910-S2102
	小計		【6,500】		【2,718】		【3,782】		
【その他】	25	戦災復旧		13449～13450	2			戦後	不明
	26	二車現存		13451～13458	8			〃	〃
	小計		【0】		【10】		【0】		
	合計		12,549		8,219		4,340		

の通りだが、昭和21・22年度に実施されたチサ1600形400輌への改造を除き実現せずに終わった。

この理由は、弱体な台枠と3軸の走り装置をそのまま流用することは得策でないと判断されたためであった。実際の改造工事では台枠は解体のうえ鋼材として、輪軸・ブレーキ装置・連結器装置は部品として再使用することになった。改造車の大半は車軸を長軸に変更したため、余剰となった短軸は、当時量産されていたトキ15000形ボギー無蓋車に転用された。

こうして有蓋車では昭和25～26年度にワム23000形1,600輌、昭和29～31年度にワム90000形700輌、昭和30年度にはワ10000形500輌・ワム2000形480輌に改造された。また昭和25年度にはレ10000形73輌、昭和30年度にはポ100形20輌にも改造されている。

無蓋車への改造は少数で、昭和31年度にトム60000形168輌に改造された程度である。また長物車に限り、台枠と走り装置を流用した改造を実施し、昭和27～31年にかけてチ500形に361輌が改造された。

事業用車では昭和28～31年度にリム300形46輌、昭和27～28年度にヨ3500形630輌に改造された。さらにソ50形2輌・キ950形1輌（トキ900形を2輌分使用）へも改造された。またヌ1000（100）形2軸暖房客車の種車となった車輌もあった。

また形式・番号の変更はなかったが、ばら積セメント輸送用に改造された車輌や、天然ガス輸送用の事業用車（RMライブラリー第一巻参照）となったものもあった。関東地区で最後まで残った車輌は、青梅線の石灰石輸送に専用されていたようである。また私鉄への払い下げも行なわれたが、大型車であり使い難かったようで、比較的数は少ない。

こうして昭和23年4月には7,623輌が在籍していたトキ900形も次第に減少し、昭和34年度に全滅した。

まさにわが国貨車史上、波乱の生涯であった。

30トン積無蓋車（トキ900形式）の改造

昭和21年4月

戦時中の特殊輸送要請に応じて設計されたトキ900形式を、次の如く改造する。

（ア）20トン積長物車

進駐軍の車両輸送にチキが多数要求されるので、これが不足を補うために、次の改造を行なって20トン積長物車とする。両数は500両要求されているが差当り100両改造する。

A　走り装置は従来のまま。
B　側及び妻構を撤去する。
C　床に約1,000mm間隔に枕木を設ける。
D　片側に4本の柵柱を設ける。
E　自動連結器を下作用に変更する。

（イ）20トン積3軸有蓋車

有蓋車の不足を補う為に、3軸車のままで有蓋車に改造する計画を有している。本改造工事を施行するとなると相当大なる作業量となるので、工機部で行なうと同時に車両会社においても改造することとなるであろう。

（ウ）2軸17トン積無蓋車

車体の側・妻を適当な高さに低め、構造並びに大きさをトラ6000形式と略同様とする計画もある。

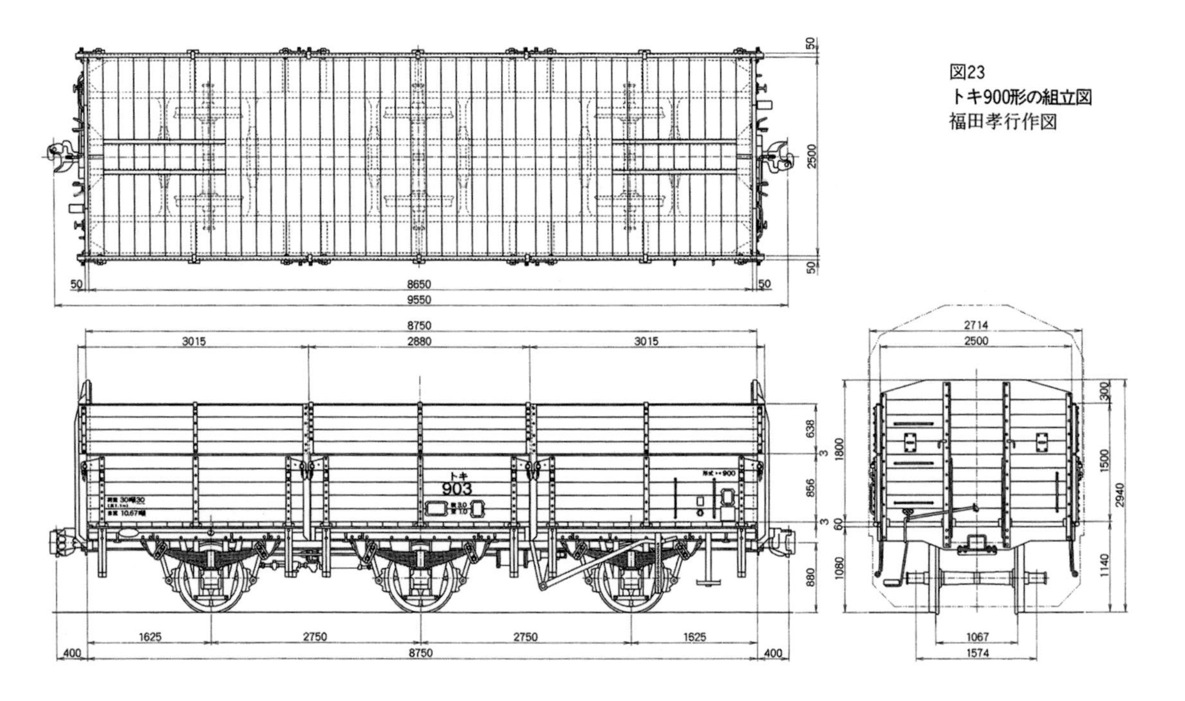

図23
トキ900形の組立図
福田孝行作図

写真28
トキ900形962
1951.8.20　金沢
P：伊藤威信

写真27と同じく昭和18年度日車本店で製作されたロット2の一員。
全体が疲弊した戦後のトキ900形が良く判る写真である。なお昭和18年度計画車では、あおり戸受とロープ掛はまだ簡素化されず、従来の無蓋車と同様のものが使用されている。

写真29
トキ900形2054
P：阿部貴幸所蔵

昭和18年11月川崎製で、昭和18年度計画車のうち川崎が製作した1953〜2362（ロット3）に属する。
妻柱先端部の傾斜がきついが、こちらが純正である。
昭和30年5月に高砂工場で廃車された。

写真30
トキ900形2093
1954.12.28　隅田川
P：三橋克巳

写真30と同様、昭和18年度川崎割当分であるロット3で、昭和18年12月製であった。
両側の軸箱守はプレス物だが、本来は組立品の筈である。
撮影10日後の昭和30年1月に大宮工場で廃車となった。

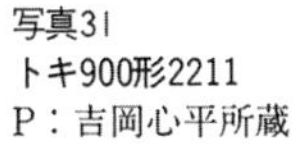

写真31
トキ900形2211
P：吉岡心平所蔵

写真30、31と同じ川崎製のロット3で、昭和19年3月製である。
落成時に撮影された鮮明な写真で、当時の塗装省略の様子が良く判る。
この車輌も昭和29年9月に大宮工場で廃車解体された。

写真32
トキ900形2366
P：阿部貴幸所蔵

昭和18年度汽車割当分である2363〜3462（ロット4）のうち、最初に製作された内の一輌。昭和18年10月汽車東京製である。汽車製は標記部以外の木部にも塗装が施されていた様である。
昭和30年3月に新津工場でワム90000形90973に改造された。

写真33
トキ900形2820
P：鈴木靖人

写真32と同じロット4で、昭和19年3月汽車東京製。
戦後、トキ900・66000形は例外なく中央側板が落失しているが、この場合は運賃を17トン分に減額する制度があった。

写真34
トキ900形4852
KK新潟鉄工所提供

昭和18年度は新潟に4438〜4857（ロット6）の420輌が割り当てられた。
写真は最終落成分として昭和19年6月に落成したものである。新潟製の場合も車体全体に塗装が施されていた。
昭和27年10月に土崎工場で廃車となった。

写真35
トキ900形5012
1946.8.8　水戸
P：浦原利穂

昭和18年度に田中が製作した4858〜5351（ロット7）の一員で、昭和18年12月製である。
写真は落成後3年未満の姿だが、すでに上部中央側板は脱落していた。
昭和28年3月に高砂工場でヨ3500形4134に改造されている。

写真36
トキ900形5627
1957.8.31　新小岩
P：三橋克巳

5352～5991（ロット８）の640輌は昭和18年度日立に割当てられたが、完成したのは5688迄の337輌で、残る303輌は欠番となった。5627の落成は昭和20年４月にずれ込んだため、あおり戸受は昭和19年度車と同様のものが使用されている。

写真37
トキ900形7003
1957.8.31　新小岩
P：三橋克巳

昭和19年９月日車本店製で、昭和19年度割当分である6949～7958（ロット17）に属する。写真28と同様、妻柱の形状が異なる点に注意。あおり戸受・ロープ掛は共に簡易型となった。
昭和32年９月に新小岩工場で廃車された。

写真38
トキ900形7749
1952.10　北所沢
P：園田正雄

昭和20年11月日車本店製で、写真37と同じロット17だが、戦後になってから落成した車輌。
あおり戸受は昭和18年度車と同一形状のものに戻されている。
昭和29年２月に大宮工場で廃車となった。

写真39
トキ900形7991
1957.8.31　新小岩
P：三橋克巳

7959～8378（ロット18）は昭和19年度川崎製で、8379～8808は欠番となった。7991は昭和19年８月製である。
あおり戸受が一個だけ昭和18年度タイプになっているのが面白い。昭和32年８月に新小岩工場で廃車となった。

写真40
トキ900形9124
1957.8.20　津田沼
P：伊藤威信

昭和20年３月汽車東京製で、昭和19年度汽車製(ロット19)の一輌。
写真は氷川～浜川崎間の石灰石輸送用として使用されていた車輌で、トキ900形としては最後まで使われていた。
昭和32年８月に新小岩工場で廃車された。

写真41
トキ900形10826
1955.10　信州中野
P：村本哲夫

10609～11248の640輌(ロット21)は昭和19年度新潟割当分で、落成したのは10858迄の240輌であった。
写真の10826は昭和20年７月新潟製で、昭和31年９月盛岡工場でチ500形874に改造されている。

トキ66000形

トキ66000形は昭和18年５月から昭和20年３月に各地の国鉄工場で476輌がトラ6000形から改造された28トン積無蓋車。戦中期に輸送力増強のため実施されたトムのトラ化・トラのトキ化改造の一環であった。

改造内容はトラ6000形の車体中央に１軸を追加して３軸とし、車体はあおり戸上に４枚側の固定側板を追加した。あおり戸は種車のものを流用したため、側面は二分割となり、結果としてトキ900形900（試作車）に酷似した外観となった。あおり戸と固定側板の張り出しを防止するため、車体内側に４本の側柱（図24では点線で表示）を設置し、固定側板を支持するとともに、あおり戸もこれにコッタ止めした。固定側板は側柱で分割され、内側は取り外し式となっている。また荷重増大に対処するため、ブレーキ装置も大型のものに交換された。

車体内寸は長さ8,650㎜×幅2,444～2,450㎜で側面高さは1,440㎜と、全体にトキ900形より一回り小型だが、軸距は改造車のため2,300×２㎜と短く、アンバランスな外観であった。

改造後の番号はトラ時代の番号に60000を加えたものとしたが、種車の番号が10000以上の場合は70000番代とはせず、トキ69520以降の番号とした。これはトラ6000形の9520～9999が欠番だったことによる。

476輌のうち34輌は戦災ないし戦後の混乱期に廃車となり、残る442輌は昭和25年度に国鉄工場でトラ6000形に復元された。

改造後はブレーキ装置の大型のまま残され、台枠には側柱を支持するため追加された張り出しが残された。このため外観による識別は容易である。なおトキ69520以降はトラ9520以降に改番されたため、結局原番号には復帰しなかったことになる。昭和29年に、最後まで残っていたトキ69102が復元されたことで、ようやく本形式は形式消滅した。

写真42
トキ66000形69508
P：吉岡心平所蔵

トラ6000形9508から昭和18年大井工場で改造された。種車は昭和17年製なので、落成後間もなく改造されたことになる。
あおり戸中央部に、車体内部に設置された側柱との固定装置が追加されている点に注目して欲しい。

写真43
トラ6000形6189
P：吉岡心平所蔵

トキ66000形66189を昭和25年新小岩工場で復元した際の写真である。
復元車はブレーキシリンダが通常のKC180型に対しKD203型で、また台枠側面に側柱支持用のチャンネルが残されているため、見分けるのは容易であった。

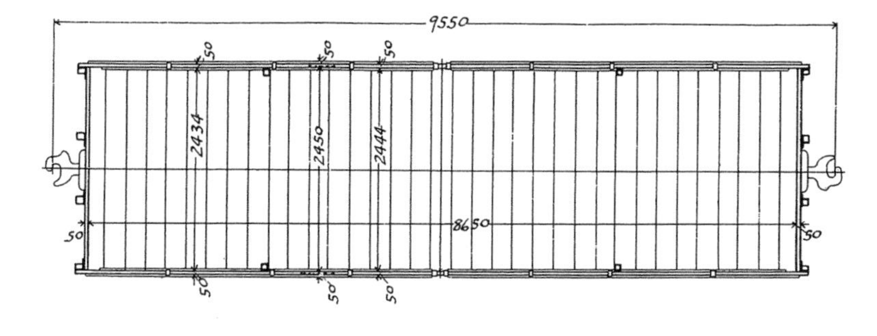

図24
トキ66000形の形式図
貨車形式図

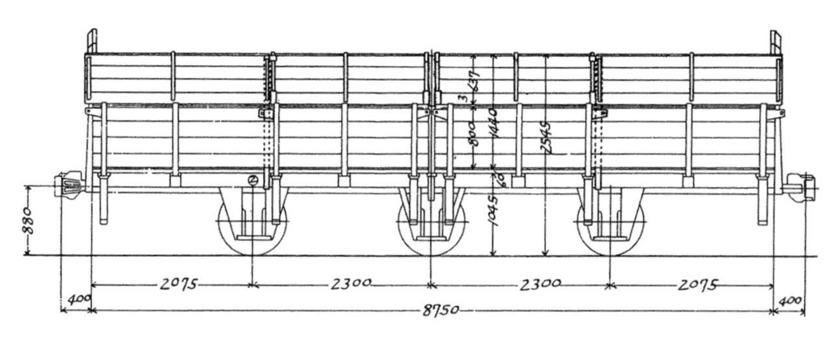

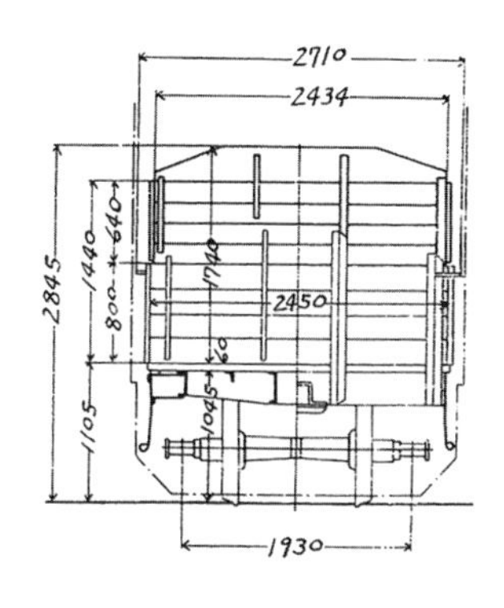

チサ1600形

戦争の終結による輸送の変化で、多数のトキ900形無蓋車が余剰化した。一方、駐留軍は大量の自動車をわが国に持ち込んだため、これを輸送するための長物車が不足した。このため戦後すぐに、トキ900形を20トン積長物車に改造する工事が計画された。

こうして誕生したのがチサ1600形で、形式は戦争中に樺太庁から編入されたトチサ1500形の後としたため1600形となった。昭和21年４月から～23年にかけて1600～2203（多数の欠番あり）の400輌が各地の国鉄工場（大宮・大井・松任・吹田・幡生・名古屋・鷹取・高砂）で改造された。

改造では種車の上廻り（側及び妻構）を撤去し、床板は新しいものに交換した。この際、１m間隔で９本の荷摺木を新設し、片側４本づつの柵柱を2,450㎜間隔で追加した。

台枠・走り装置・ブレーキ装置は種車のものをそのまま使用したが、自動連結器は下作用に変更された。従来のチサ100形が、車体長8,000㎜・軸距2,500㎜×２・荷摺木８本であったのに対し、チサ1600形は車体長8,750㎜・軸距2,750㎜×２・荷摺木９本と一割程度長くなり、本来の目的である自動車積載には好都合であった。

もともと暫定改造の色彩が強く、改造から数年で他形式に改造されたり、廃車になるものが出現した。昭和30年度末には260輌あったが、昭和40年末では63輌まで減少した。ヨンサントウでは北海道内限定運用車となり、昭和43年度末では16輌があった。昭和46年度末に３輌となってからはそのまま推移し、昭和58年度にようやく形式消滅したが、実際にはこれ以前に姿を消していたようである。

写真44
チサ1600形1622
1962.7
P：鈴木靖人

昭和19年３月川崎製のトキ2245を、昭和21年９月に大井工場で改造した車輌。写真は改造後15年を経た姿で、車体は強度不足からか上下に波打っている。その後、昭和40年９月に廃車された。

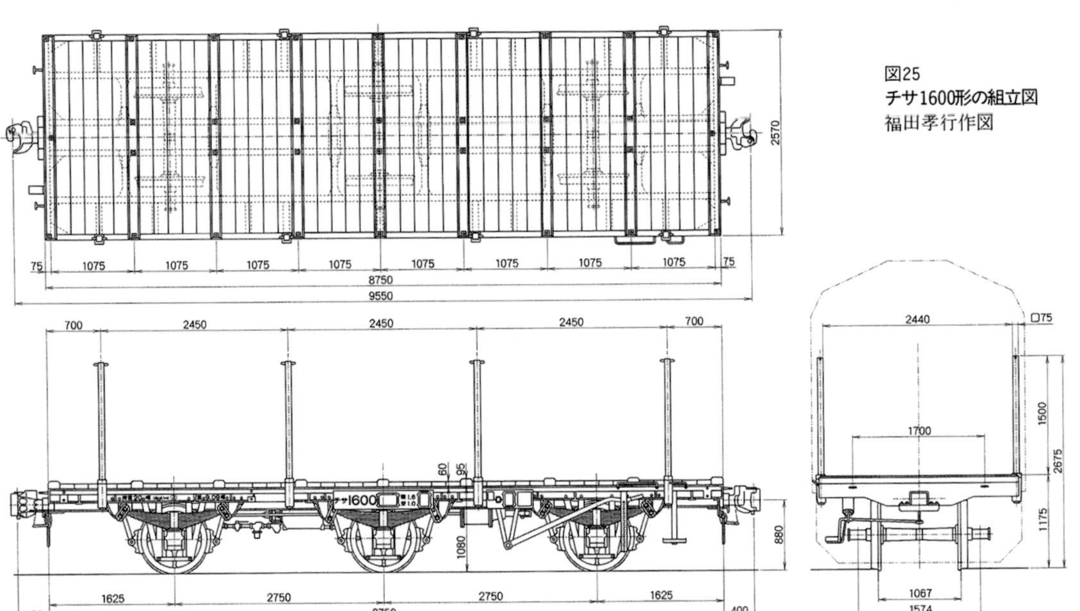

図25
チサ1600形の組立図
福田孝行作図

チ500形

トキ900形を改造した長物車の第二弾。荷重は10トンと小さく、実際に貨物を積載するより、かつ大貨物輸送時の遊車として使用することが主目的だったようである。

昭和27年4月から31年11月に500～850,866～875の361輛が各地の国鉄工場（表5参照）で改造された。

改造ではトキ900形の上廻りを撤去し、下廻りはそのまま流用した。チサ1600形の場合と異なり、柵柱・荷摺木などは設置されず、床面上は平坦であった。詳細については囲み記事を参照のこと。

輌数は昭和35年度末は323輛・40年度末は277輛と暫減し、晩年は事業用車、中でも配給車代用として使用された車輌が多かった。ヨンサントウでは127輛が廃車となり、昭和43年度末は49輛まで減少した。残された車輌は北海道内限定運用車ないし構内専用車となった。車籍上は昭和62年まで存在したが、現車の存在には疑問が持たれている。

表5　チ500形の製造所別番号表

改造年度	番号	改造工場
昭和27年度	500～599、700～822	大宮・高砂・新小岩・釧路・旭川・五稜郭・苗穂・盛岡・郡山・名古屋・松任・後藤・多度津・小倉・西鹿児島
昭和28年度	600～699	新津・新小岩・大宮
昭和29年度	823～825	長野
昭和31年度	826～850、866～875	新小岩・名古屋・盛岡

三軸無がい車を長物車に改造施行要領

昭和28年6月　工作局

1条　この改造工場は、三軸無がい車（形式トキ900）を三軸長物車に改造するものである。改造後の外観構造は図面VD0853のとおりで、その主要要目はつぎのとおりである。

形式	チ500	容積	40.5㎥
荷重	10t	最大長	9,550mm
自重	約9t	最大幅	2,742mm
貨物積載高サ	1.8m	最大高	1,140mm
床面積	22.5㎡		

2条　改造要領はつぎによる。

1．車体関係
- 1.1　側妻構は全部撤去する。
- 1.2　床板・縦根太は取替える。

2．台ワク関係
- 2.1　アオリ受バネ・蝶番及び側柱を撤去する。
- 2.2　側柱を撤去した後、長土台の切れている部分は接ぎ足す。
- 2.3　妻構の網掛を端バリに移設する。

3．自動連結器装置
- 3.1　在来の上作用連結器を下作用に変更する。
- 3.2　解放装置を下作用にする。
- 3.3　下部胴受は在来品を加工使用する。穴アケは旧穴のないフランジにあける。

4．ブレーキ装置
- 4.1　自重減少に伴い水平テコ比を変更し、ブレーキ率を低める。
  ブレーキ倍率6.4
  ブレーキ率80%
- 4.2　水平テコの旧穴は丁寧に穴ウメをし、両面とも平滑に仕上げること。
  但しピン穴の径は従来通り。
- 4.3　側ブレーキ用握り棒は、新設し長土台に取付ける。

5．標記及び標識
- 5.1　標記事項は次による。

形式	チ500
荷重（噸）	10
自重（噸）	約9（検重の上、標記すること）
積載高（米）	1.8
換算	積1.6　空1.0
級別	D

- 5.2　従来の車体標記関係は新設の標記板に移記並びに移設する。
- 5.3　列車標識掛は在来品を加工して移設する。

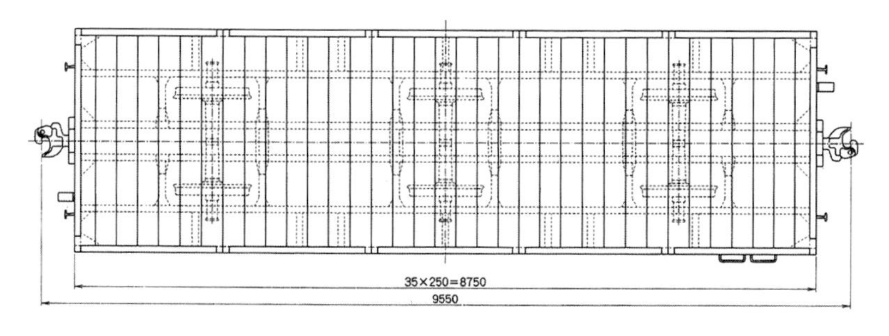

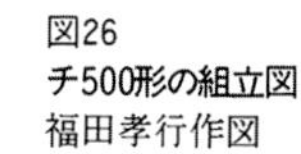
図26
チ500形の組立図
福田孝行作図

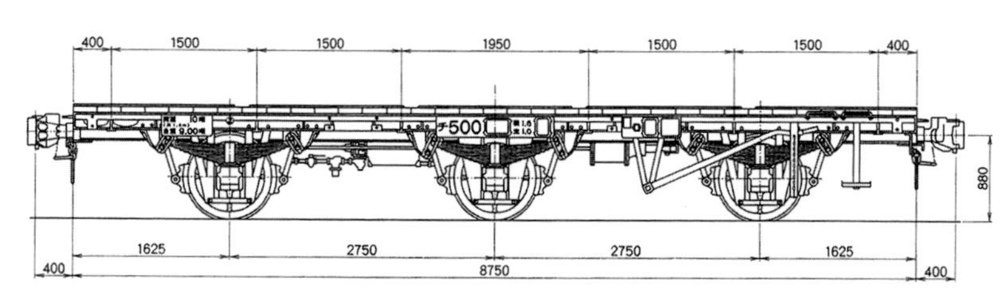

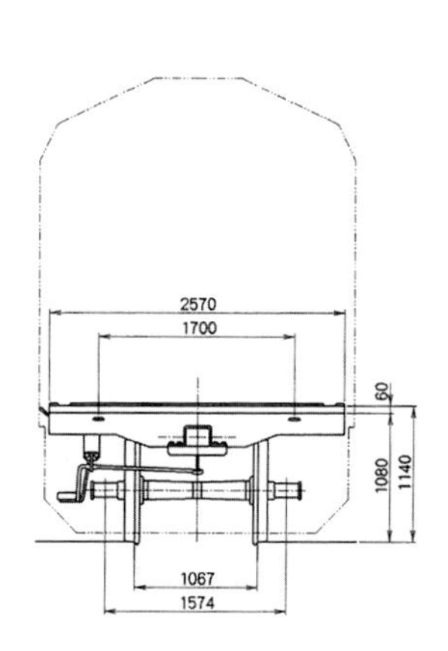

写真45
チ500形576
1974.9.22　吹田貨車区
P：藤井　曄

昭和19年9月日車支店製のトキ4161を昭和27年8月、高砂工場で改造したもので、最後まで残ったチ500形として有名。吹田操車場構内に点在する便所の汲取り用に、車体上にバキュームカーを搭載した車輌で、構内専用車として扱われていた。

写真46
チ500形730
P：鈴木靖人

昭和19年9月汽車東京製のトキ3454を昭和27年10月大宮工場で改造した。
写真は大宮工場の輪軸輸送用の配給車代用として使用されていた時代のもので、輪軸は長手方向に6本積載するようになっている。

写真47
チ500形795
P：鈴木靖人

昭和19年5月田中製のトキ5304を昭和28年3月郡山工場で改造した。
郡山工場の配給車代用で、盛岡工場との間で木材輸送に使用されていた。車端にはトキ900形に似た妻板があるが、妻柱が左右で異なることから、撤去後再組立されたものではないかと思われる。側面にはチサ1600形に類似した柵柱があるが、柵柱受の深さは深くなっている。

写真48
チ500形766
1969.8.26　旭川
P：堀井純一

昭和18年10月日車本店製のトキ1001を昭和28年1月に旭川工場で改造した車輌である。
苗穂工場の輪軸輸送車代用で、妻板はありあわせの部品から新製され、妻柱にはトムのものを転用していた。

ワサ１形

わが国有蓋車の標準荷重は、貨車創始期の５トンから、７トン、10トン、15トンと次第に増加してきたが、昭和37年に入ると17トンへの拡大が検討されるようになった。

当時、有蓋車は汎用のワム60000形、パレット輸送用のワム80000形二代が並行量産されていたが、両者それぞれに17トン車を開発することになり、誕生したのが汎用のワラ１形とパレット輸送用のワサ１形である。

ところで17トン車として開発された筈なのに、どうしてパレット輸送用車は23トン積の「ワサ」になったのだろうか。

昭和35年から製作されたワム80000形二代は、わが国初の量産型パレット輸送有蓋車であり、貨車輸送近代化の尖兵としての役割が期待されていた。ところがワム80000形二代には思わぬ泣き所があった。

当時はパレット輸送の揺籃期で、往復共にパレット積貨物を輸送することは稀で、片道は一般貨物を積載することが多かった。ワム80000形二代はパレットの容積も含めて15トン分の貨物が積載出来るように設計されたため、パレットを使用しない場合は容積が過大であった。そこでワム80000形二代の荷重を汎用20トン・パレット輸送時15トンとすることが検討されたが、軸重の制限から荷重の増加分は自重を減らして対処せざるを得ないものの、ワム80000形二代の11トンを６トンに減らすことは到底不可能であった。そこで車軸を一軸増して３軸車とし、荷重増加分を吸収するウルトラC級のアイディアが実行に移されたのである。

こうして誕生したのがワサ１形で、昭和37年汽車で２輌が製作された。荷重は汎用時23トン・パレット輸送時17トンとなった。

車体はワム80000形二代に類似した構造だが、全長は9,840㎜と長くなった。屋根は丸屋根で、内側には厚さ５㎜の硬質繊維板が貼り付けられていた。パレット輸送では、1,100㎜×1,100㎜パレットを16枚（ワム80000形二代は14枚）積載することが出来た。

下廻りは75km/h走行可能な高性能３軸車として設計され、走り装置は３軸貨車では珍しい２段リンク式で、軸距は3,050㎜×２と、連節式を除いた３軸貨車では最大であった。ブレーキ装置は空気＋片側で、トキ900形と同様に全軸に作用するようになっていた。

試験の後は、ひところ身延線の新聞輸送用車として使用されていたが、ワサ1号車は昭和51年に狩勝実験線の走行試験車であるヤ81形81に改造された。残るワサ2は休車のまま、沼津機関区の展示会などで注目を浴びたが、昭和62年のJR移行で廃車となり、姿を消した。

写真49
ワサ１形１
P：JR貨物提供

表紙にワサ2の写真を掲載したので、ここでは車体内部が判るように扉を開いた状態を示す。丸屋根のため、ワキ5000形を短縮したように見えるが、実はこちらの方が先に製作されている。

ク9100形と共に3軸車としては珍しい2段リンクばね吊り装置を装備していた。

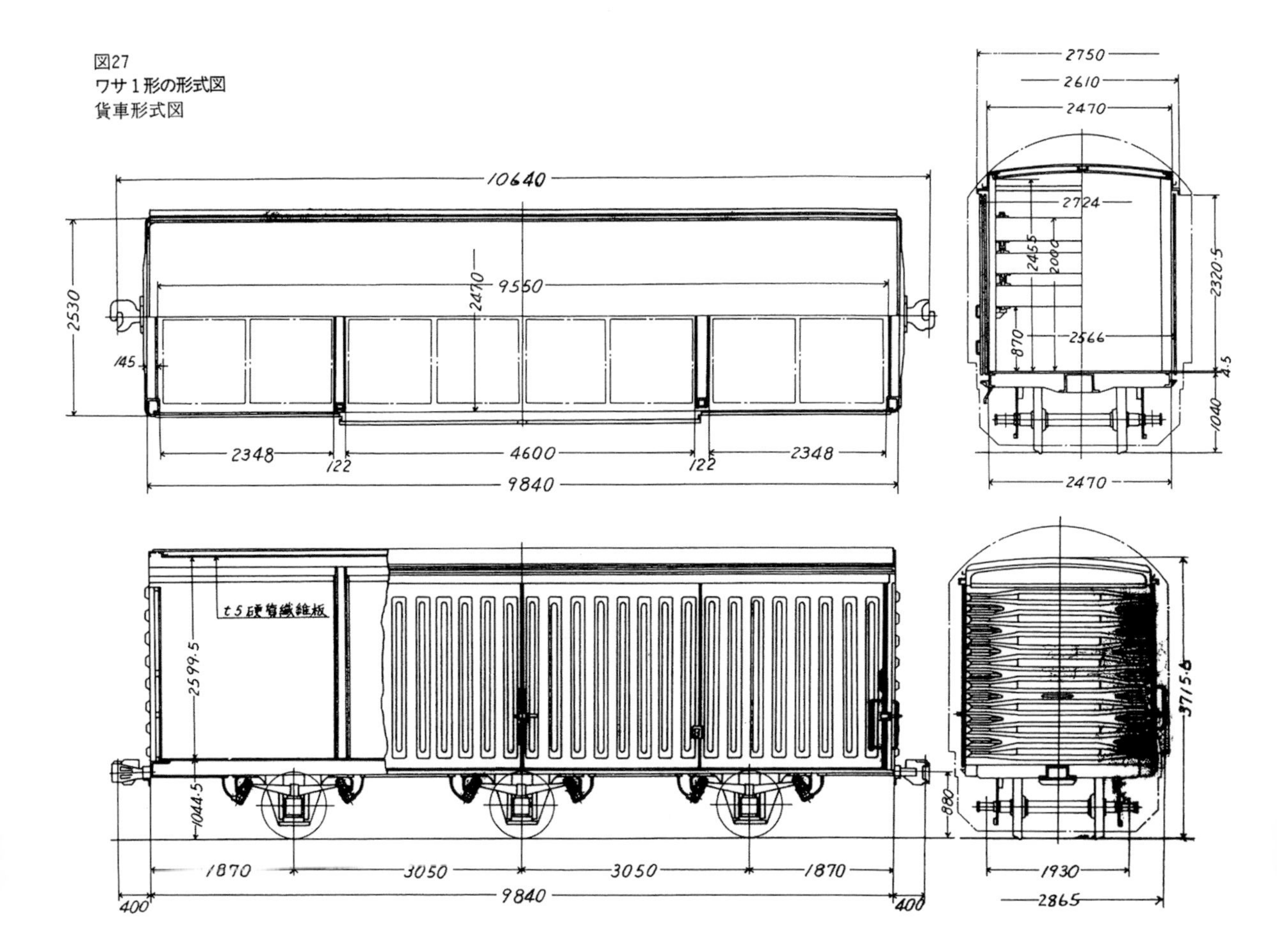

図27
ワサ1形の形式図
貨車形式図

ク9100形

昭和40年から製作されたク5000形車運車は2軸ボギー車として製作されたが、荷重12トンで4軸は軸重面で贅沢で、また車体長が20.5mに制限されたため、最も需要が大きい1,500ccクラスの乗用車が8台しか積載出来ない弱点があった。このため当時ドイツやフランスの自動車輸送車に実用化されていた連節3軸車を試作することになり、昭和42年に誕生したのがク9100形12トン積車運車である。

わが国の貨車で唯一無二の連節3軸車で、1,500ccクラスの乗用車を10台積載出来るように、車体全長は21,840mmとク5000形より1.34m長くされた。なお、この値はわが国3軸車の歴史でも最大であった。

車体はク5000形との連結使用を前提とした二階式構造で、自動車積載用デッキは上下2段あった。バンタイプの自動車を積載するため、車体中央部はク5000形より195mm低くなった。また車体は二分割され、連節部には可動式の中間荷台が設けられていた。タイヤ案内・渡り板・緊締装置などはク5000形と同一のもので、台枠中梁間に緊締具格納箱・床下にシート格納箱がある点も、ク5000形に準じていた。

台枠は一般的な平型で、側梁は150×75mm・中梁は250×75mmチャンネルを使用していた。軸距は8,050mm×2であった。走り装置は2段リンク式で、ばねは車体高を下げるため逆反りの特殊なものとなり、ばね吊りの角度は一般車が30度なのに対し、前後軸は20度・中間軸は垂直であった。車輪には床面高さを下げるため、直径790mmと特殊寸法のものを使用していた。

中間軸には、連節3軸車特有の機構である中間軸案内装置があり、中間軸の車輪・軸受間に圧入されたボールベアリング付のスリーブと、スリーブと台枠を結合するリンク機構から構成されていた。軸箱守とばね吊りは前後別々の車体に設けられ、中間軸箱は遊間が大きいためつば付きとなっていた。またク5000形と同様「突放禁止」扱いとされ、留置用の手ブレーキがあった。

各種の試験後は異端車として使用されることもなく、昭和43年10月のヨンサントウ改正以降は最高速度65km/hの「ロ」車とされ、長期間西名古屋港駅に留置されていたが、昭和51年度に廃車となった。

写真50
ク9100形9100
P：JR貨物提供

「わが国変な貨車ベストテン」を募集したら、必ず入選する変な貨車。ただク9100の名誉のために付言すると、ドイツにはこの種の連節３軸車が約7,000輌在籍していた。

当初は軽トラックの二段積を目標に開発されたが、車輌限界の小さいわが国では所詮無理な話で、折角の低床構造も活用されることなく終わった。

写真51
ク9100形9100の両端軸
P：吉岡心平所蔵

逆反りのバネが異様である。

写真52
ク9100形9100の中間軸
P：吉岡心平所蔵

左側のリンクの下に見える棒状のものが、中間軸案内装置。

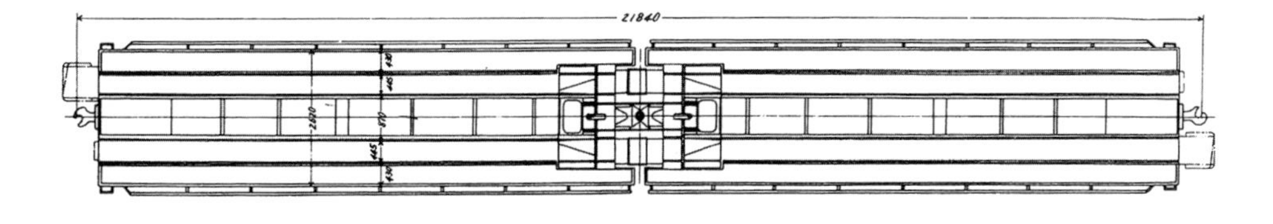

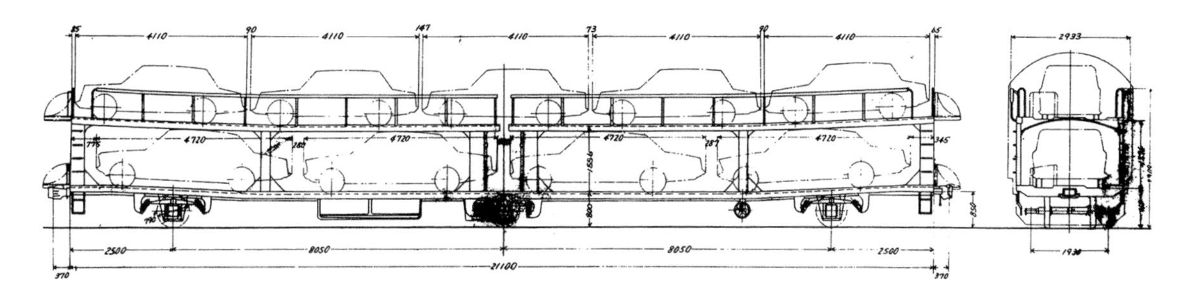

図28
ク9100形の形式図
貨車形式図

ミ335$^{\mathrm{M44}}$形→ミ170形$_{170、171}$

大正14年から昭和元年にかけて、多数の蒸気機関車のテンダーが水運車に改造された。これは老朽テンダー機関車をタンク機へ改造したことも一因であった。

ミ335$^{\mathrm{M44}}$形もその一つで、大正14年苗穂工場で5850形ブルックス製蒸気機関車の炭水車から2輌が改造された。荷重は10トンであった。

昭和3年の改番ではミ170形に統合され、その170、171となった。廃車時期は不明である。

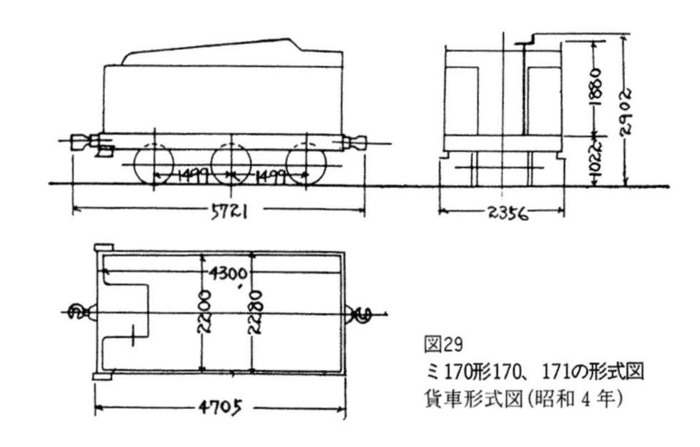

図29
ミ170形170、171の形式図
貨車形式図(昭和4年)

ミ340$^{\mathrm{M44}}$形→ミ170形$_{172〜176}$

大正14年小倉工場で8450形ボールドウイン製蒸気機関車の炭水車から5輌が改造された。荷重は10トンであった。

昭和3年にミ170形に改番され、172〜176となった。なお177〜179は欠番である。

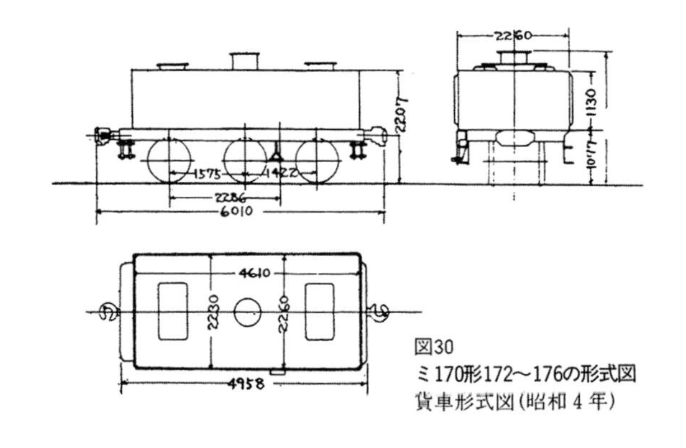

図30
ミ170形172〜176の形式図
貨車形式図(昭和4年)

ミ350$^{\mathrm{M44}}$形→ミ170形$_{180〜182}$

ミ350$^{\mathrm{M44}}$形は、大正14年小倉工場で6350形ハノーバー製蒸気機関車の炭水車から3輌が改造された。荷重は10トンであった。

昭和3年の改番ではミ170形の一部となり、その180〜182となった。廃車時期は不明である。

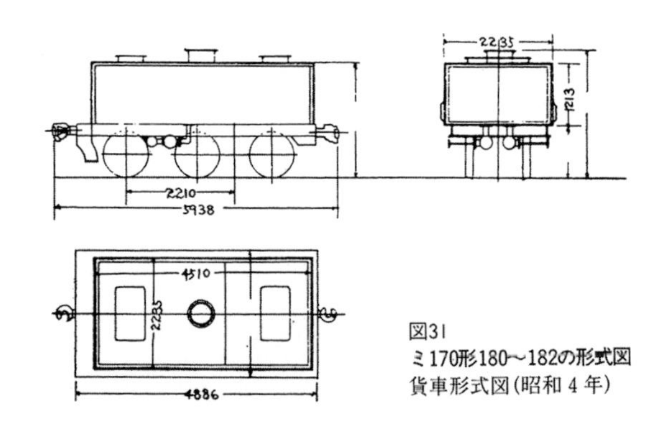

図31
ミ170形180〜182の形式図
貨車形式図(昭和4年)

ミ360$^{\mathrm{M44}}$形→ミ170形$_{183〜188}$

大正14年名古屋・金沢工場で5630形ネルソン製蒸気機関車の炭水車から6輌が改造された車輌で、荷重は10トンであった。

昭和3年の改番ではミ170形に統合され、183〜188となった。

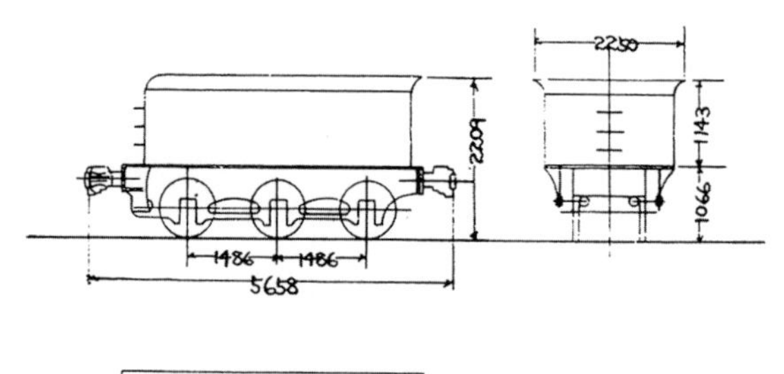

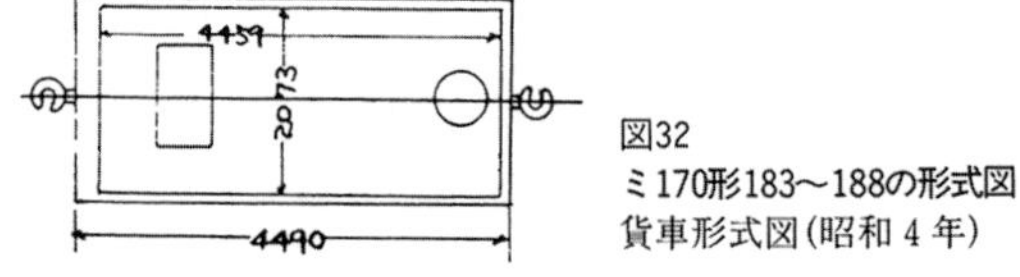

図32
ミ170形183〜188の形式図
貨車形式図(昭和4年)

ミ375^{M44}形→ミ170形189、190

ミ375^{M44}形は昭和元年土崎工場で5400・6200形ネルソン製蒸気機関車の炭水車から２輌が改造された。荷重は10トンであった。

昭和３年の改番ではミ170形に統合され、その189、190となった。最後まで残ったミ189が昭和31年７月に廃車となったことで、本形式は形式消滅した。

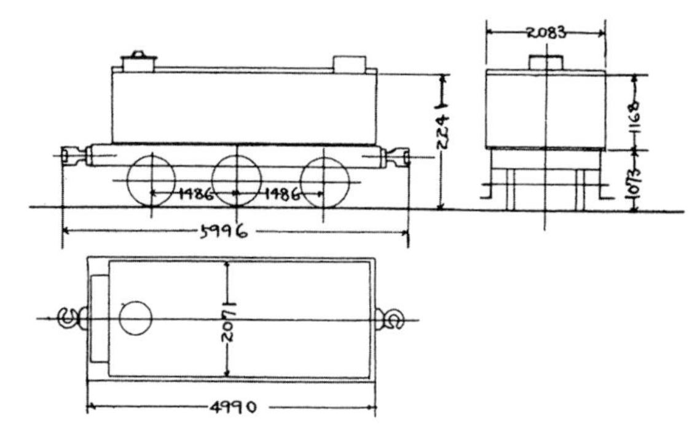

図33　ミ170形189、190の形式図　貨車形式図(昭和４年)

ミ385^{M44}形→ミ170形191〜195

ミ385^{M44}形は昭和元年土崎工場で5160形ブルックス製蒸気機関車の炭水車から５輌が改造された。荷重は10トンであった。

昭和３年の改番ではミ170形に統合され、191〜195となった。廃車時期は不明である。

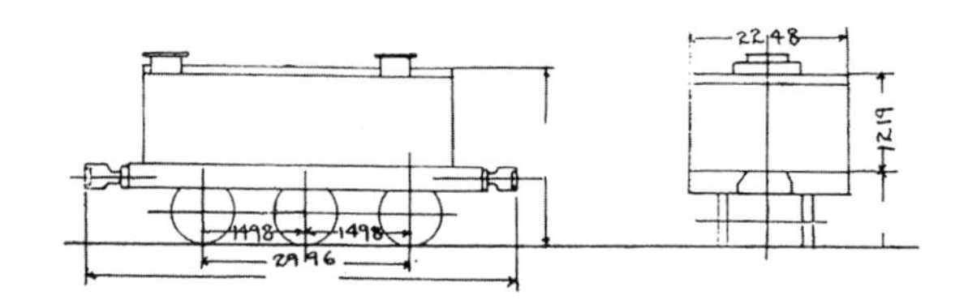

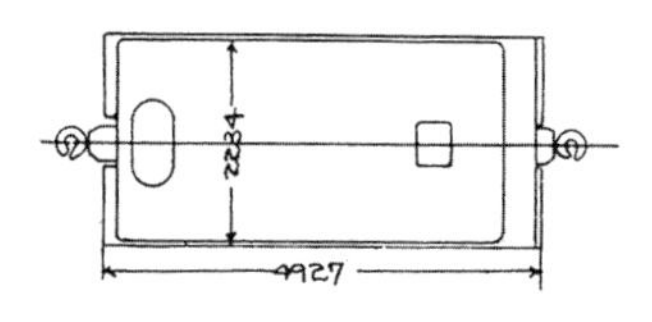

図34
ミ170形191〜195の形式図
貨車形式図(昭和４年)

ミ370^{M44}形→ミ250形

ミ370^{M44}形は昭和元年鷹取工場で5400形ネルソン製蒸気機関車の炭水車から５輌が改造された。種車はミ375^{M44}形と同一だが、荷重は11トンと１トン大きくなった。このため昭和３年の改番ではミ250形と別形式となっている。昭和28年度に形式消滅した。

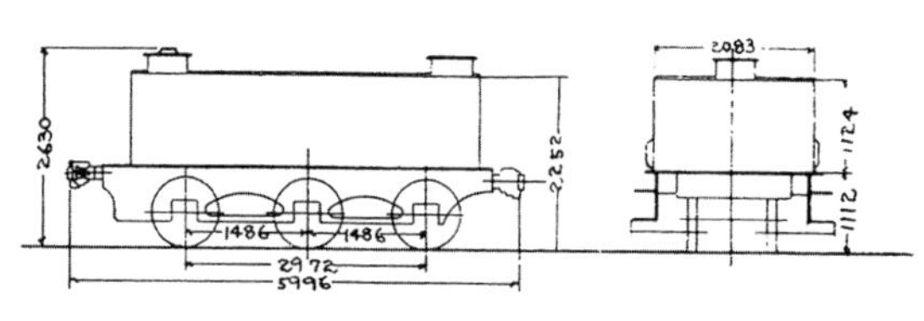

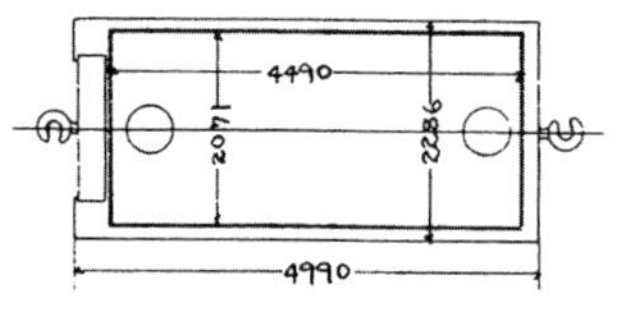

図35
ミ250形の形式図
貨車形式図(昭和４年)

写真53
ミ170形190
1953.9.26　品井沼
P：鈴木靖人

炭水車から水運車への改造では、機関車側端面への自動連結器装置の設置、炭庫の水槽化、そして吐出管や側ブレーキの新設などが行なわれた。写真のミ190は小牛田駅常備であった。

ミ380M44形→ミ300形

ミ380M44形は昭和元年鷹取工場で6270形ダブス製蒸気機関車の炭水車から3輌が改造された。外観はミ170・250形と酷似するが、荷重は12トンとこれらより大きい。

荷重が異なるため､昭和3年の改番ではミ300形と別形式となり、昭和30年度に形式消滅した。

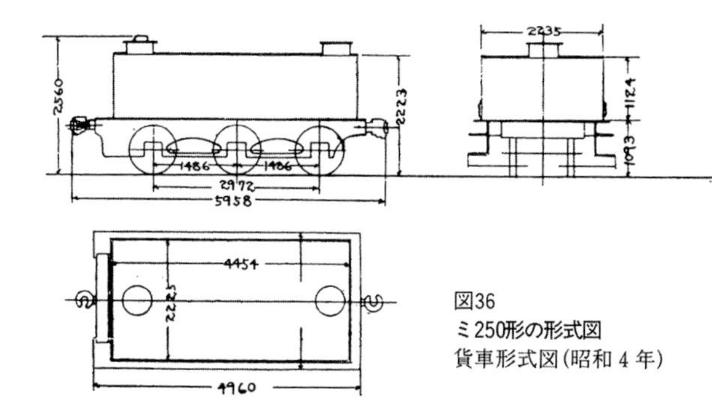

図36
ミ250形の形式図
貨車形式図(昭和4年)

樺太庁フミ30形→フミ30形→ミ150・160形

樺太庁が昭和4～5年に豊原工場で7750形ネルソン製蒸気機関車の炭水車から3輌改造した水運車。

全体構造は他の炭水車改造水運車と同様である。フミ30,31は荷重9トンだが、32は「温水装置付」のため荷重は8トンと1トン少なかった。

フミ31は樺太庁時代に廃車となり、昭和16年4月の移管では30、32が編入された。昭和19年9月の改番では荷重9トンのフミ30はミ160形162に、8トン積の32はミ150形152となった。

戦後、敗戦による樺太喪失により除籍された。

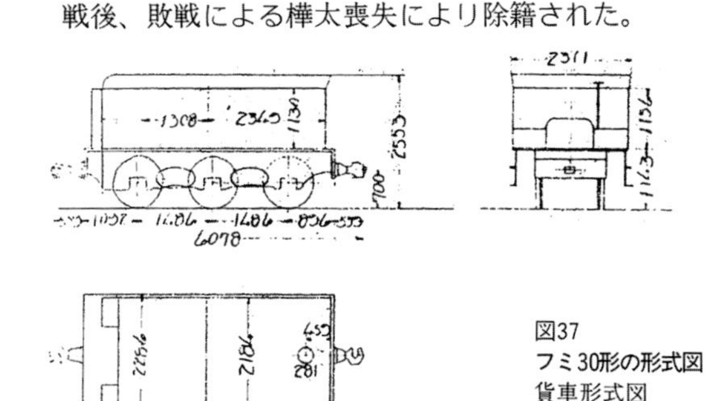

図37
フミ30形の形式図
貨車形式図

局ピブ1形→ピフ140M44形→ピ1形

「歯車車」は、横川～軽井沢間にあったアプト式区間の制動力強化のため開発されたブレーキ車である。記号「ピ」は英語のPinionが語源であり、古くは有蓋緩急車（歯車付）と呼ばれた。

最初に用意された4輌は明治28年頃新橋工場で有蓋車から改造され、使用開始は明治29年6月で、その後2輌が追加された。落成時は貨物緩急車に類別されていた。

構造は特異な板台枠を持った3軸車で、軸間にラックレールと噛み合うピニオンを設け、これに常用の水冷式ドラムブレーキと緊急用のバンドブレーキを装備した。車輪には通常の制輪子による手ブレーキが設けられていた。車体には窓がなく、車内には死重が積載されていた。

明治35年10月の改番で局ピブ1形となった。その後、多客時の旅客乗車用として扉と窓が追加され、車内には椅子・屋根には油燈が設置された。明治44年の改番でピフ140M44形となり、大正10、11年にかけて140～142、144、145の5輌には、室内に旅客暖房用のボイラが設置された。昭和3年の改番でピ1形となったが、電気機関車の出現と空気ブレーキの普及により不要となり、昭和6年10月に使用廃止となった。このため暖房用ボイラ付のピ1～3、5、6は客車であるヌ9050形3軸暖房車に改番され、残った4は昭和7年度に姿を消した。

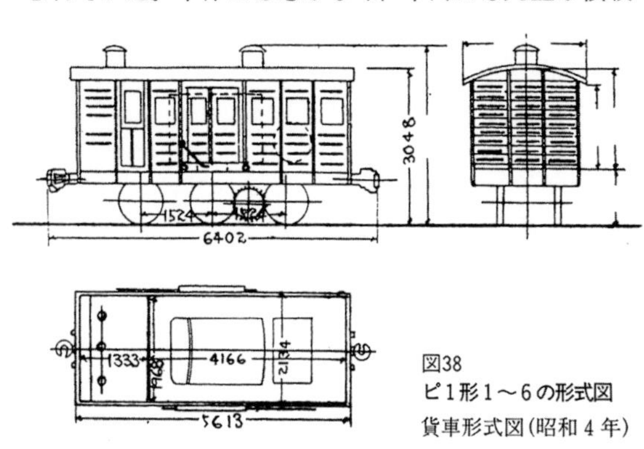

図38
ピ1形1～6の形式図
貨車形式図(昭和4年)

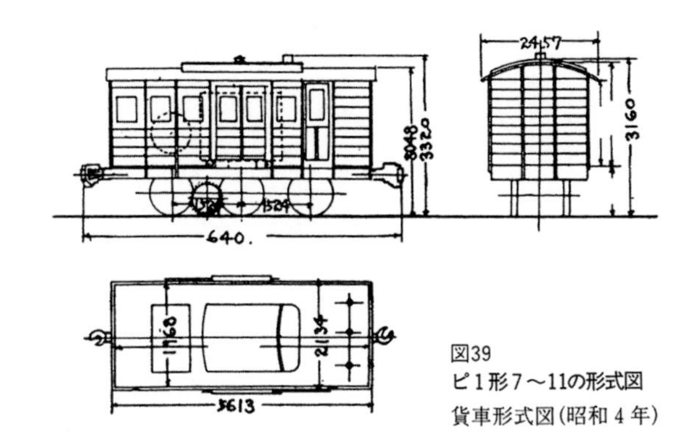

図39
ピ1形7～11の形式図
貨車形式図(昭和4年)

局ピブ２形→ピフ146^{M44}形→ピ１形

明治31年度に新橋工場で５輛が新製された歯車車で、落成当時は貨物緩急車に類別されていたが、明治35年10月の記号「ピブ」制定により、局ピブ２形７～11となった。

全体構造は局ピブ１形に類似したもので、荷重は７トンであった。明治44年の改番でピフ146^{M44}形となり、大正10,11年度にピフ146、147の２輛は、車内に冬季の客車暖房用としてボイラーを設置した。

昭和３年の改番でピ１形７～11となった。昭和６年10月の歯車車使用廃止で、暖房用ボイラ付の７、８は昭和６年度中に３軸のまま、客車の暖房車であるヌ9050形に車種変更され、残る３輛は昭和７年度に廃車された。

局ピブ３形→ピフ151^{M44}形→ピ30形

局ピブ３形は12～15の４輛が明治42年度に長野工場で有蓋車から改造された歯車車。種車は明治23～25年神戸工場製の10トン積有蓋車である局ワ11形584、590、628、629で、当時としては大型の有蓋車であった。

全体構造は局ピブ２形に類似するが、車内には座席が設置され、多客時には旅客を収容することが出来るようになっていた。これに伴い、屋根には照明用の油燈が設けられている。荷重は７トンであった。

明治44年の改番でピフ151^{M44}形、昭和３年の改番でピ30形となった。最後まで暖房用ボイラは設置されず、このため昭和７年度に全車廃車となっている。

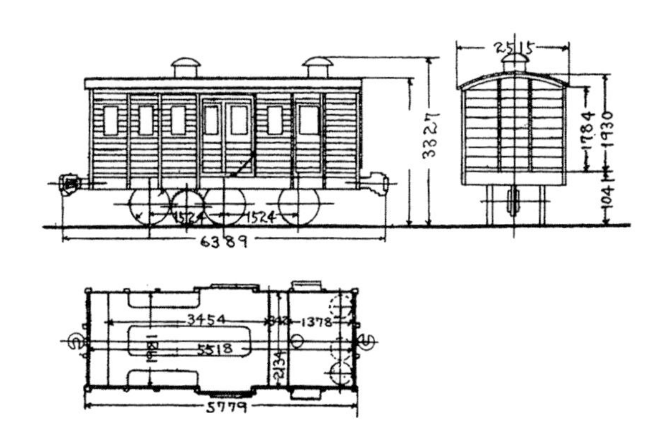

図40
ピ30形の形式図　貨車形式図(昭和４年)

ユキ500^{M44}形→キ500形^{初代}→キ800形

昭和３年苗穂工場で、7350形蒸気機関車のテンダーを利用して製作された。わが国初の掻寄式雪かき車で、当時の札幌鉄道局工作課長であった羽島金三郎がカナダ･スウェーデンなどの技術を参考にして考案した車輌である。

上廻りは掻寄翼と支持枠からなり、除雪時は枠ごと翼を車体後端より２m後方に突き出すため、ローラーからなる摺動機構と空気シリンダを装備していた。当初操作室はなかったが、後に木製のものが追加された。

台枠以下はテンダーの下回りをそのまま利用し、走り装置は片ボギー式で、ボギー台車は軸距1,550㎜･センターから３軸目までの間隔は2,324㎜であつた。その後２軸ボギー車に改造され、昭和16年４月の雪かき車の番号整理でキ800形に改番された。昭和33年度に廃車となったが、現在は小樽交通記念館で保存されている。

図41
キ500形(初代)の形式図　貨車形式図(昭和４年)

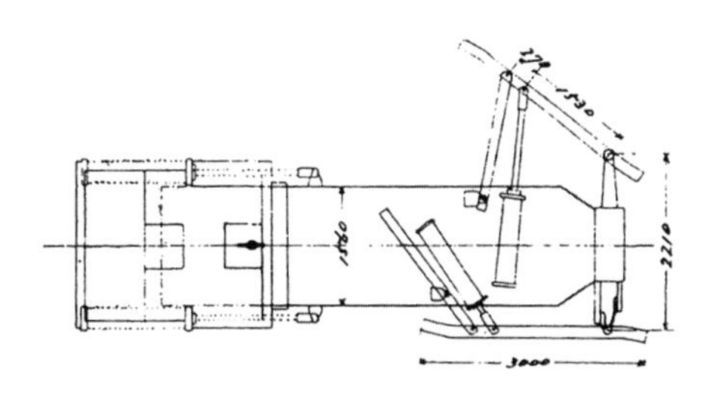

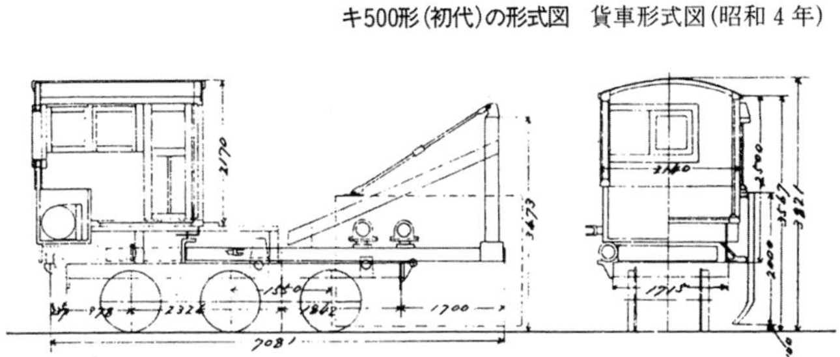

写真54
キ500形初代500
P：吉岡心平所蔵

現在、キ800形として小樽交通記念館に保存されているが、2軸ボギーに改造する際、キ550形初代（後のキ900形）に準じた構造にアップデートされたため、形態は一変した。面影を残す部分は支持枠の一部と掻寄せ翼に隠れた後端台車だけと言って良い。

コ10形

コ10形は橋梁の荷重試験用として、昭和３年大宮工場で製作された検重車である。

構造は他に類のない特異なもので、全長5,900㎜・軸距1,900㎜×２の３軸車だが、中央の輪軸は直径1,750㎜と大きい。荷重試験では、前後の車輪を吊り上げて車体前後の釣合錘により平衡を保ち、中央の輪軸だけで橋梁に荷重を負荷する。自重は30トンで、車体上にはガソリンエンジンと燃料・水タンク・手ブレーキなどがあった。

昭和30年度に廃車となった。

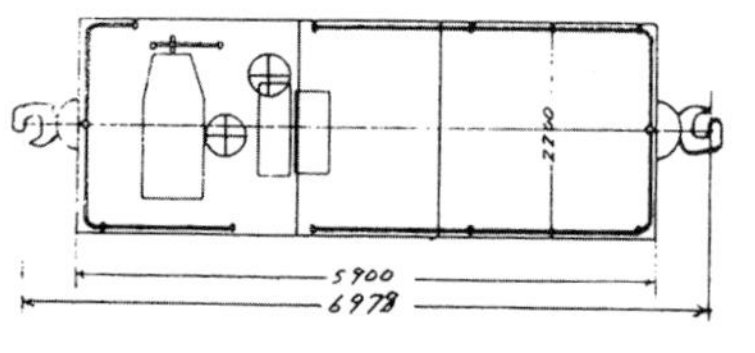

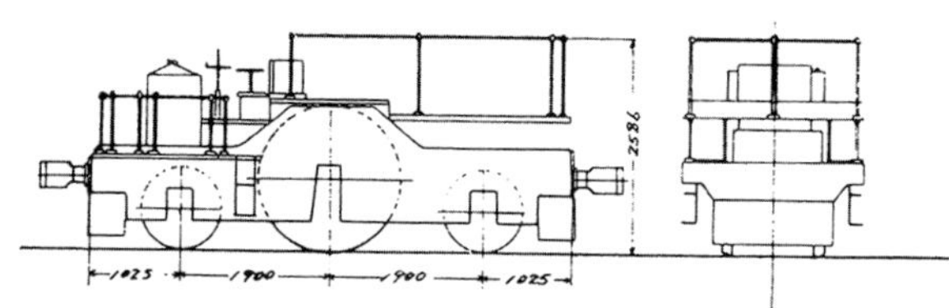

図42
コ10形の形式図　貨車形式図（昭和４年）

写真55
コ10形10
P：吉岡心平所蔵

わが国３軸車の中で、最も変な車輌であることは、誰も異論はないだろう。

車体上手前にはポンプ駆動用のガソリンエンジンがあり、手前の軸を上下させて中央車輪で荷重を負荷させる。両端の軸箱守下部には、車軸が下がらないようにするための丸棒がある点に注意して欲しい。

ヤ210形

昭和35年に国鉄苗穂工場で１輌製作された軌道検測用試験車。客車として製作されたマヤ34形が主要線区の軌道検測のため製作されたのに対し、中級線区に用いるため試作されたもので、貨物列車に連結し走行しながら軌間・軌道の高低・通り・平面性ならびに軌間の変化を連続的に記録できるようになっている。

落成時の車内は機関室と測定室とに仕切られ、前者には電源用ディーゼル発電機・油圧ポンプ及び配電盤を備え、後者には測定の基準となる高剛性の円筒型基準桁が床に弾性支持され、その上部に測定装置が設けられていた。

走り装置は測定上の必要から軸距2,300㎜×２の３軸車とし、トキ900形に類似した一段リンク式を採用したが、軸受はコロとなっている。また検測時は車軸間及び前後にある計４組の測定車輪を支持枠ごと油圧により下降させる構造となっていた。塗色は黒であった。

落成後、北海道内で使用されたが、昭和40年10月に測定・記録装置を大改造した。車内からは機関室がなくなり、測定室内の機器配置も一変した。外観的には、支持枠の前後に大型の導輪が新設されたのが最大の相違点である。塗色も青15号に変更された。

ヨンサントウ以降は最高運転速度65km/hの制限を受けたため、車体中央に黄帯を標記した。マヤ34形の増備により昭和42年末に北海道から四国へ移籍したが、次第に使用されなくなり、昭和51年１月に廃車となった。

写真56
ヤ210形210
P：JR貨物提供

落成直後の写真。常備駅は桑園だったが、まだ記入されていない。
写真左手のルーバーのある部分が機関室である。コロ軸を用いた走り装置に注目のこと。

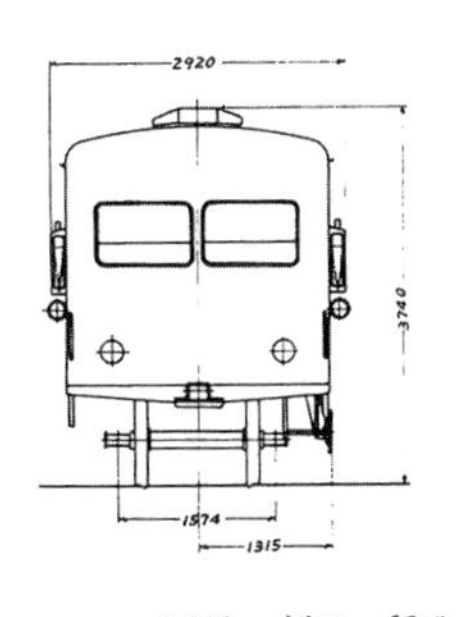

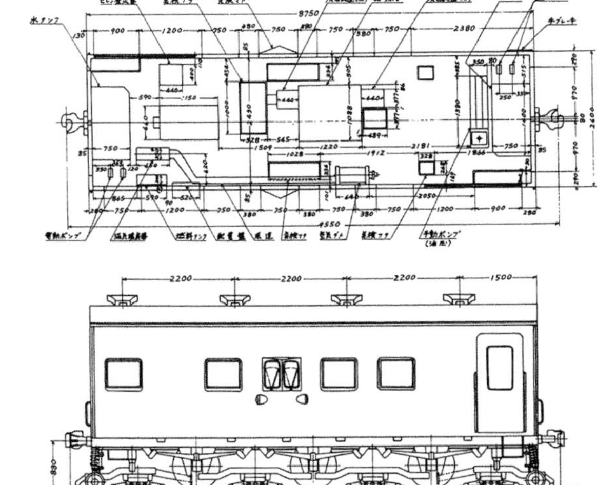

図43
ヤ210形の形式図　貨車形式図

写真57
ヤ210形210
1971.6.30　小松島
P：川喜多新太郎

四国に移動してからの写真で、塗色は青15号となり、車体中央には「ロ車」を示す黄帯がある。
昭和40年度の改造で、測定機器が更新されたため、下回りの形態は写真61の時代と異なり、支持枠の前後には大型の導輪が追加されている。

ソ50形

ソ50形は保線基地でレールを長物車から積載・取卸しする作業に使用する事業用貨車で、「レール積降用操重車」に分類される。昭和25年1月に新小岩工場でトキ900形3603、5217の改造により誕生した。

種車の側及び妻構上部を撤去し、日本起重機製作所で新製した旋回式クレーンを搭載した。旋回角度は左右約20度で、アウトリガはなかった。ブームの先端には扱重1.5トンのホイストがあり、2輌が組となって25mレール2本を扱うことが出来た。ブームは中途にあるヒンジから二つ折りとなる構造で、使用時以外は折りたたまれている。ブームの伸縮は不可能で、使い勝手は良くなかったと言われる。車体後部には、動力源として36馬力のディーゼル発電機を搭載していた。

下回りは種車のものをそのまま流用し、妻板下部を残して自動連結器装置も種車の上作用のものをそのまま使用した。車体塗色は上廻りは黄色・下回りは黒であったが、ヨンサントウ以降は台枠側面も最高運転速度65km/h制限車を示す黄色に塗装された。

高崎鉄道管理局で開発した車輌とされ、晩年は高崎操駅に常備されていたが、昭和45年から代替用のソ60形が製作されたことで、昭和49年7月に廃車となった。

写真58
ソ50形番号不詳

写真は、ブームを折り畳んだ状態を示す。

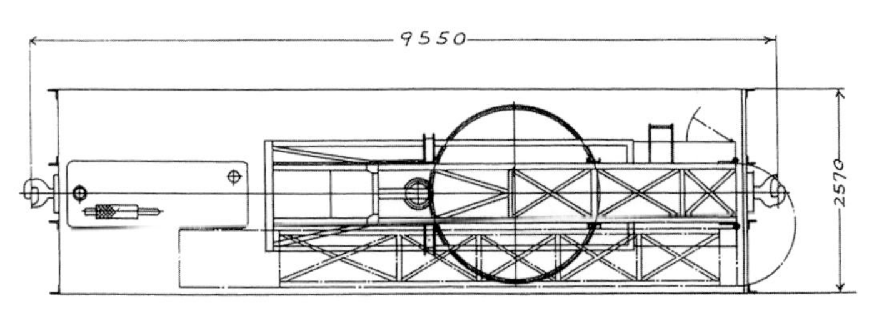

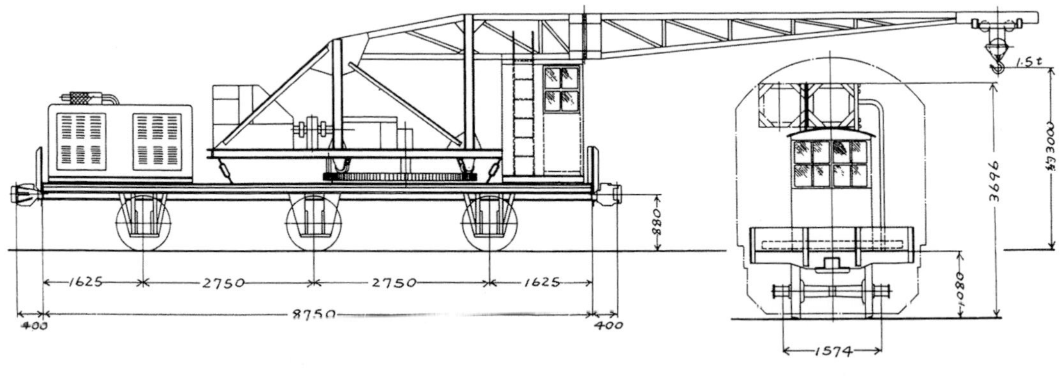

図44
ソ50形の形式図　貨車形式図

写真59
ソ50形51
1971.8.22　宇都宮
P：堀井純一

ソ50形が活動中の珍しい写真で、レール積チキの両端にセットされ、折畳み式のクレーンのブームは、使用状態に伸ばされている。また写真58と比較すると、ディーゼル発電機が更新されている事が判る。

私鉄の三軸貨車

紙面の制約から私鉄の三軸貨車については代表的な車輌について解説するに留めることにしたい。

■釧路臨港鉄道セラ200形

釧路臨港鉄道の18トン積石炭車で、ここでは私鉄独自設計の３軸車の例として取り上げる。

大正15年11月から昭和17年５月にかけて日車支店で200～232の33輌、汽車東京で233～242の10輌、合計43輌が製作された。

国鉄のボギー石炭車を短縮・小型化した側開き方式の無蓋ホッパ車で、車体材質はコストダウンのため木製とされ、全長は7,920㎜と短い。軸距は2,000㎜×２で、３軸貨車として新製された車輌としては異例の短さである。このため走り装置は３軸車特有の長１段リンク式ではなく、２軸貨車に多用されるシュー式を装備していた。

一部は後年、同社トラ１形に改造されている。

■釧路臨港鉄道トラ１形

昭和37年１月から昭和38年８月にかけて同社セラ200形の216、217、219、224、210、211、221を改造した19トン積無蓋車。

改造ではホッパ構造の旧車体を廃棄し、トキ900形に類似した無蓋車体を新製した。車体は三分割されたアオリ戸があり、その上には４枚側の固定側板が設置されていた。下廻りはセラ時代のままである。

■常磐茨城炭鉱トキ900形

北海道では比較的多く見られた私鉄払い下げのトキ900形だが、本州に残された例は少ない。ここでは本州の専用鉄道に残った珍しい例を紹介することにしよう。

写真60
釧路臨港鉄道
セラ200形212
『日車の車輌史』編集部提供

昭和８年９月に日車支店で製作された210～212のうちの１輌。車体は国鉄セキを骨子とするが、木製で長さも大幅に短い。軸距は2,000㎜×２と短く、このため走り装置は３軸貨車では珍しいシュー式である。

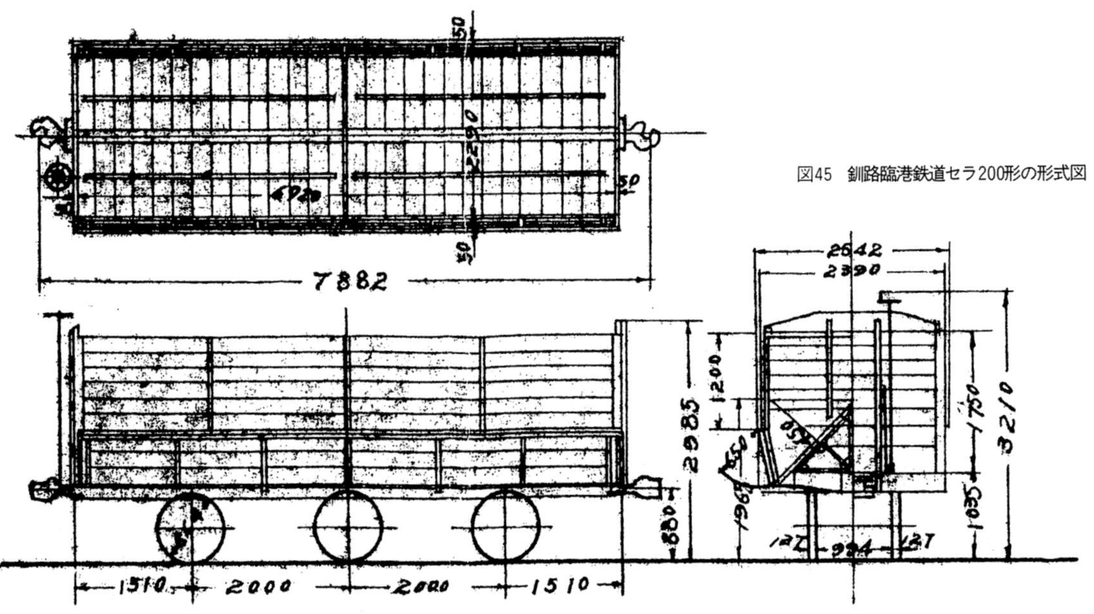

図45　釧路臨港鉄道セラ200形の形式図

写真61
釧路臨港鉄道
トラ1形4
P：澤田節夫

昭和37年８月にセラ200形224から改造された車輌。新製された無蓋車体には、セラ時代の面影はなく、下廻りは種車のままだが、軸箱守はプレス品に更新されている。

写真62
常磐茨城炭鉱
トキ900形901
P：吉野　仁

トキ900形のあおり戸より上部を撤去し、荷重を20トンとした車輛。戦後すぐに計画されたトキ900形の転用改造案をそのまま具現化したような車輌である。写真には同型車として901～903の3輛が記録されていた。

最後に

いま私は、異形の者たちを召喚した後に訪れる、心地よい倦怠感に浸っている。

この本が貨車研究の無間の暗闇と、そこでおぼめく妖しい者たちを照らし出す、一条の光となってくれれば良いのだが…。

本書を草するに当たり、多くの方々から、貴重な写真や資料をご提供いただいた。

戦前製貨車の図面・写真は、車輛メーカー各社からご協力頂くことで、大変充実したものとすることが出来た。

また、トキ900形に関する記述は、ひとえに戦後の混乱期に写真を撮影し、資料を手写してくださった鉄道趣味界の先輩諸兄の努力の賜物である。これらの貴重な資料がなければ、この本を纏めることは到底不可能であった。

末筆ながら、ご協力頂いた方々に心から御礼を申し上げ、結びの言葉に代えたい。

■本書作成にご協力頂いた方々
（敬称略・アイウエオ順）
阿部貴幸、伊藤昭、伊藤威信、植松昌、浦原利穂、遠藤文雄、梶山正文、川喜多新太郎、葛英一、久保敏、小寺康正、澤田節夫、鈴木靖人、園田正雄、高間恒夫、千代村資夫、豊永泰太郎、西野保行、仁藤慎一、福田孝行、藤井曄、星晃、掘井純一、三橋克巳、宮坂達也、村本哲夫、矢嶋亨、吉野仁、渡辺一策
川崎重工業株式会社、株式会社新潟鉄工所、『日車の車輌史』編集部、日本貨物鉄道株式会社、日立造船株式会社